ARWYN HERALD

Hunangofiant ffotograffydd papur newydd

gyda Tudur Huws Jones

Arwyn Herald

Hunangofiant ffotograffydd papur newydd

gyda
Tudur Huws Jones

Diolch i bawb –
dach chi'n gwbod pwy ydach chi ...

Argraffiad cyntaf: 2016

Cyhoeddir gan Wasg Carreg Gwalch,
12 Iard yr Orsaf, Llanrwst, Conwy, LL26 0EH.
Ffôn: 01492 642031 Ffacs: 01492 641502
e-bost: llyfrau@carreg-gwalch.com
lle ar y we: www.carreg-gwalch.com

Rhif rhyngwladol: 978–1-84527-570-9
Cynllun Clawr: Eleri Owen
Llun clawr: Alan Dop

Mae'r cyhoeddwr yn cydnabod cefnogaeth ariannol
Cyngor Llyfrau Cymru

Cyflwynedig i Ian Edwards,
am bob cymwynas

Rhagymadrodd

Mae Arwyn Roberts yn un o'r bobol hynny sy'n nabod pawb. Neu fel y clywch chi sawl un yn deud: 'mae pawb yn nabod Arwyn.' Ceisiwch groesi maes y Brifwyl efo fo i chi gael gweld. Ac mae'r Maes yng Nghaernarfon yn waeth byth. Fedar o ddim mynd lawer mwy na dau gam heb i rywun ei gyfarch.

Arwyn C'narfon-Dembi ydi o i rai, tra bod eraill yn ei adnabod o dan ei lysenw – Mwsh. Ond i'r rhan fwyaf, Arwyn Herald ydi o, ac roedd hwnnw'n ddewis naturiol ac addas pan gafodd ei urddo'n aelod o Orsedd y Beirdd yn 2005.

Mae angen tri pheth sylfaenol ar unrhyw newyddiadurwr gwerth ei halen os ydi o am fod yn llwyddiannus yn ei faes. Heb fod mewn unrhyw drefn neilltuol, dyma nhw i chi:

1. Adnabyddiaeth dda o'r ardal a'i phobl
2. Trwyn am stori
3. Cysylltiadau da

Fel un sy'n teithio cannoedd o filltiroedd o gwmpas gogledd Cymru bob wythnos, mae Arwyn yn adnabod ei batsh fel cefn ei law. Ac wrth gwrdd â hwn-a-hwn a hon-a-hon wrth ei waith bob dydd, neu yn ei amser sbâr, mae o wedi datblygu trwyn sensitif iawn am stori. Droeon, ar ôl bod allan ar joban, bydd Arwyn yn dychwelyd i'r swyddfa efo stori arall – un well yn aml iawn. Nid gwaith naw tan bump ydi newyddiaduraeth, mae hi'n swydd 24 awr y diwrnod, saith diwrnod yr wythnos. Ac yn achos Arwyn, 12 mis o'r flwyddyn. Mae o'n mynd allan i weithio ar ddiwrnod Dolig, Gŵyl San Steffan a dydd Calan ers

blynyddoedd, i dynnu lluniau babis newydd, plant bach sy'n gorfod treulio'r Dolig yn yr ysbyty neu'r bobol wallgo hynny sy'n dewis mynd i nofio yn y môr pan mae'r rhan fwyaf ohonon ni adref o flaen tanllwyth o dân. Ymroddiad – dedicêshon – hwnna 'di o.

Ac yn olaf, fel y soniais eisoes, mae Arwyn yn nabod ei bobol. Mae pawb yn nabod Arwyn, ac Arwyn yn nabod pawb, felly mae ganddo gysylltiadau ym mhob agwedd o fywyd. Yn wir, mae o'n nabod llawer ohonyn nhw wrth eu henwau cyntaf ac ar dermau 'chdi a chditha' efo nhw. Yn yr heddlu a'r frigâd dân, yn y cyngor, yr ysgolion, canolfannau hamdden, llysoedd, siopau a busnesau – mae Arwyn yn nabod rhywun yn rhywle ar gyfer pob achlysur, ac mae hynny'n help mawr nid yn unig wrth fynd ar drywydd rhyw stori sensitif, neu gyfrinachol, ond ar gyfer y straeon bara menyn hefyd, sydd yr un mor bwysig i bapur lleol.

Ydi, mae Arwyn yn gwybod popeth am bawb! A rŵan, dyma gyfle i chithau glywed dipyn o'i gyfrinachau yntau ...

Tudur Huws Jones
Hydref 2016

1
Dechrau'r daith

Mae 'na olygfa fythgofiadwy yn *C'mon Midffîld* lle mae Wali Tomos yn cael ei berswadio gan Arthur Picton i eistedd ar ben to car yn dal corn siarad, tra bod 'y sgamp Picton 'na' yn gyrru o amgylch Bryncoch yn canfasio ar gyfer etholiadau'r cyngor lleol.

Mae hi'n un o olygfeydd mwyaf doniol y gyfres, ac mae 'na lot fawr o'r rheiny. Ond wyddoch chi fod y stori'n seiliedig ar ddigwyddiad go iawn? Oedd, wir i chi, a dyfalwch pwy oedd yn chwarae rhan Wali?

Roedd Ian Parri, gohebydd papurau'r *Herald* ym Mhen Llŷn ar y pryd, wedi cael gafael ar stori yn ymwneud â'r Lôn Goed, yn ardal Chwilog. Roedd rhyw ddyn oedd wedi symud i'r ardal wedi penderfynu dechrau busnes llogi beics yno, ac mi ffoniodd o swyddfa'r *Herald* ym Mhwllheli i drio cael tipyn o gyhoeddusrwydd i'r fenter. Roedd hyn yn y 1990au cynnar, pan oedd y mewnlifiad yn dechrau mynd yn bwnc llosg yng ngwir ystyr y gair.

'I'm thinking of calling it Leafy Lane Bikes,' medda'r boi wrth Ian. 'What do you think?'

'I think it's a brilliant idea,' medda hwnnw, yn s'nwyro stori o bell ac yn rhwbio'i ddwylo wrth feddwl am y penawdau ar y dudalen flaen.

Beth bynnag, mi ddechreuwyd y busnes, ac o fewn diwrnod neu ddau roedd y cwynion wedi dechrau hefyd. Doedd o ddim yn gweddu rhywsut, nag oedd? 'Leafy Lane Bikes' yng nghanol 'llonydd gorffenedig' R. Williams Parry? Ond roedd Ian Parri wrth ei fodd, wrth gwrs, a chafodd o ddim trafferth dod o hyd i bobol fyddai'n fodlon cwyno am y peth.

Wrth reswm, doedd y boi ddim yn hapus iawn ynglŷn â'r cyhoeddusrwydd gwael pan ymddangosodd y stori yn y papur, ac mi aeth Ian a finnau yno i dynnu lluniau ar gyfer papurau'r wythnos wedyn, er mwyn gwneud dilyniant i'r stori. Gan nad oedd arwydd yn dangos enw'r busnes, yr unig lun posib oedd llun o'r beics. Doedd 'na ddim pwynt gofyn am ganiatâd – doedd y boi ddim yn siarad efo ni – felly doedd dim amdani ond tynnu'r llun o'r lôn. Y broblem efo hynny oedd fod y beics mewn sied ac yn anodd i'w gweld. Roedd 'na un posibilrwydd, ond roedd hynny'n golygu tynnu'r llun dros wrych uchel, a'r unig ffordd o wneud hynny oedd i mi ddringo ar ben to'r fan a cheisio tynnu'r llun felly. Roedd yn rhaid i'r fan fod yn union y lle iawn – i'r fodfedd – neu doedd 'na ddim posib gweld y beics, a'r unig ffordd o sicrhau hynny oedd i Ian fynd tu ôl i'r llyw a gyrru'n ara deg bach nes ro'n i'n deud wrtho fo am stopio.

Wel, dyna oedd y syniad, beth bynnag. Mi lwyddais i ddringo ar y to rywsut neu'i gilydd, ond ar ôl symud ychydig fodfeddi ar ben y fan, ro'n i'n cael trafferth dal y camera efo dwy law a chadw fy hun rhag disgyn.

'Ian! Ma' hyn yn beryg bywyd!' gwaeddais i lawr arno.

Sticiodd Ian ei ben drwy'r ffenest – a wyddoch chi be ddeudodd y diawl?

'Yndi, wn i ... ond mi gymera i'r risg!'

Ha! 'Mi gymera i'r risg' wir! Roedd hi'n iawn arno fo, doedd? Dim ond eistedd yn ei sêt yn gyrru'r fan ychydig droedfeddi yn ei blaen roedd o'n gorfod ei wneud! Fi oedd yn cymryd y risg!

Hogyn o Benygroes ydi Ian yn wreiddiol, ac ar y pryd roedd Tafarn yr Afr yn y pentref – y Gôt i chi a fi – yn ail gartref iddo fo (ac i minnau hefyd a deud y gwir!) Yno yr oedd Ian yn cael ei straeon gorau, a bu chwerthin mawr yn y dafarn y noson honno wrth iddo ailadrodd hanes y Lôn Goed.

Roedd pobol fel Alun Ffred Jones (y cyn-Aelod Cynulliad bellach) hefyd yn taro i mewn yn weddol reolaidd, ac roedd o'n digwydd bod yno'r noson honno. Ar y pryd, roedd Alun Ffred yn cynhyrchu *C'mon Midffîld*, ac mae'n amlwg ei fod o'n cadw cofnod meddyliol o straeon a digwyddiadau go iawn fasa'n gwneud golygfeydd doniol yn y gyfres – does 'na ddim byd yn fwy doniol na straeon go iawn, wedi'r cwbwl. Ac mae'n rhaid ei fod o wedi cofio stori'r Leafy Lane, achos pan waeddodd Wali Tomos ar Mr Picton ei bod hi'n beryg bywyd ar dop y car efo'r corn siarad, ateb hwnnw hefyd oedd 'Iawn, mi gymera i'r risg!'

Felly dyna fo, ylwch – nid newyddiadurwyr ydi'r unig rai sy'n cael eu syniadau gorau mewn tai potas!

Ar ôl gweithio efo'r *Herald* am rai blynyddoedd aeth Ian i weithio i'r BBC ac wedyn at y *Daily Post*, cyn cael cyfnod llwyddiannus yn rhedeg tafarn Y Plu yn Llanystumdwy. Mae o'n sgwennwr dawnus a doniol, ac yn gwmni ffraeth a difyr dros ben.

Roedd y Gôt yn rhan o chwedloniaeth yr ardal ar un adeg fel lle i gael peint hwyr. Ar *C'mon Midffîld*, pan ddaeth yr heddlu heibio un noson i ddal pobol yn yfed ar ôl amser, ymateb un o'r cymeriadau oedd: 'O, Reg, chdi sy 'na – ro'n i'n meddwl mai plisman go iawn oedd 'na am funud!' Wel mae honna'n lled seiliedig ar stori o'r Gôt hefyd, yn ôl pob sôn, a dwi'n cofio plisman yn cnocio ar ddrws y dafarn yn oriau mân y bore un tro, ac Enid, y dafarnwraig, yn gofyn iddo be gebyst oedd o isio mor hwyr.

'O, ro'n i'n gwbod mai fama oedd yr unig le faswn i'n medru cael sigaréts yr adeg yma o'r nos,' medda fo!

Ia, lle da oedd y Gôt.

Dwi wedi bod yn ffotograffydd papur newydd ers deugain mlynedd bellach, ac wedi gweld rhyfeddodau – ar hyd a lled y wlad yn ogystal ag ar stepen fy nrws fy hun. Mi gewch fwy o'r hanesion yma eto, ond yn gynta, dwi am rannu un tro trwstan a ddarlledwyd i'r genedl!

Mae pawb sy'n fy nabod i'n dda yn gwybod be ydi fy agwedd tuag at bobol fawr a aned efo llwy aur yn eu cegau, ond mae'n rhaid i mi fod yn broffesiynol wrth fy ngwaith. Ar adegau, dwi'n gorfod bod yn eu canol nhw, er y basa'n llawer gwell gen i fod efo'r werin. Yn fuan wedi i'r Tywysog Edward briodi Sophie Rhys-Jones, daeth y ddau i ymweld â'r Sioe Frenhinol yn Llanelwedd. Roeddwn i'n arfer mynd i'r sioe bob blwyddyn i roi help llaw i fy ffrindiau, Tegwyn Roberts a'i wraig, Margaret, ffotograffwyr swyddogol y sioe ers talwm.

Ar y diwrnod dan sylw, roedd disgwyl i Edward a Sophie gerdded o gwmpas y maes efo'i gilydd am sbel cyn mynd ar eu liwt eu hunain, a phenderfynwyd y byddwn i'n dilyn Sophie, tra oedd Teg yn dilyn Edward. Y drwg oedd fod cannoedd o bobol wedi penderfynu dilyn Sophie hefyd, ac achosodd hyn dipyn o benbleth i mi. Hefyd, doedd gen i ddim clem sut roedd hi'n edrych! Gwelwn ddegau o ferched ifanc wedi'u gwisgo'n smart o 'nghwmpas; pob un yn edrych fel tywysoges, yn fy marn i. Dwn i ddim pwy oeddan nhw – ei *hentourage* hi ella – ond pan gyrhaeddon nhw siediau'r geifr, mi ges air ar y *walkie talkie* efo Margaret, er mwyn gofyn iddi sut oedd Sophie'n edrych.

'Paid â phoeni – mi fydd ganddi flodau yn ei llaw,' cysurodd Margaret fi.

'Iawn,' medda finna.

Ond pan edrychais i o 'nghwmpas, roedd gan bob un ohonyn nhw flodau! Ro'n i'n swp sâl erbyn hyn. Be taswn i'n tynnu tomen o luniau o'r ddynes anghywir? Ar achlysuron fel hyn roedd posibilrwydd y byddai'n rhaid i mi rannu fy lluniau efo unrhyw bapur newydd, yn lleol a chenedlaethol, oedd eu hangen nhw; trefniant a elwir yn 'Royal Rota'. Sylwais ar ddynes swyddogol yr olwg yn sefyll wrth fy ochr i – roedd hi fel riwbob 'di rhedeg a deud y gwir, yn dalach na fi o beth cythraul – yn gwisgo côt Barbour ddrud at ei thraed. Edrychais i fyny a mentro gofyn iddi:

'Sgiws mi. Which one is she?'

Roedd hi'n weddol amlwg mai aelod o'r Special Branch oedd hi, yn gwarchod y dywysoges, a gallai weld fy mathodyn Ffotograffydd Swyddogol oedd yn rhoi'r hawl i mi fod yno, ond roedd hi'n amlwg wedi ffieiddio 'mod i'n gofyn y ffasiwn beth. Dyma hi'n sbio i lawr ei thrwyn arna i fel taswn i'n faw.

'You'd better move, sir, you're standing right beside her,' meddai.

O diar! Yn ogystal â Sophie, roedd rhywun arall adnabyddus wrth fy ymyl i ar y pryd – Hywel Gwynfryn. Wrth gwrs, ymhen chwarter awr roedd y stori ar *Radio Cymru.*

Ydi, mae ffotograffydd papur newydd yn dod ar draws rhyfeddodau garw yn ei waith bob dydd, ac yn f'achos i, mae'r cyfan yn deillio o hysbyseb a welais yn y *Caernarvon & Denbigh Herald* yn 1974 efo'r pennawd anhygoel: 'Boy Wanted'.

Hysbyseb ar gyfer prentis argraffydd/cysodwr oedd o, a dyna sut y dechreuais i yn y byd papurau newydd 'ma, cyn dod yn ffotograffydd. Er hynny, bu bron i mi â mynd i gyfeiriad hollol wahanol o ran gyrfa.

Doeddwn i ddim yn rhy hoff o'r ysgol. Faswn i ddim yn deud 'mod i'n casáu'r lle, ond doedd o mo'r cyfnod hapusa yn fy mywyd i. Nid oherwydd unrhyw reswm penodol, cofiwch, dim ond 'mod i'n barod i fynd allan i'r byd mawr i ddechrau ennill fy nhamaid cyn cyrraedd 16 oed.

Doedd gan Mam a Dad ddim gwrthwynebiad i mi adael yr ysgol os mai dyna oeddwn i isio'i wneud, ond wna i byth anghofio Mam yn mynnu fod yn rhaid i mi chwilio am waith yn syth os nad oeddwn i am fynd i goleg – hi oedd y bòs pan ddeuai i bethau fel hyn. Doeddwn i ddim am gael bod adra'n gwneud dim, medda hi. Iawn – doedd gen i ddim problem efo hynny, a gadewais Ysgol Syr Hugh Owen yn 15 oed.

Roedd cefnder dad, John Hefin Williams, yn ocsiwnïar efo cwmni Bob Parry ar y pryd, a chawsom wybod ganddo fo bod 'na swydd yn mynd efo'r cwmni hwnnw fel ocsiwnïar dan hyfforddiant. I dorri stori hir yn fyr, mi ges i'r swydd, ac yn sydyn reit ro'n i'n mynd i farchnadoedd anifeiliaid mewn llefydd fel Porthaethwy (lle mae archfarchnad Waitrose heddiw), Llangefni (lle mae siop Asda bellach), Sarn Mellteyrn a Bryncir. Wrth deithio yn y car efo John Hefin i'r llefydd yma, ro'n i'n teimlo'n rêl boi.

Un o fy nyletswyddau oedd sgwennu sieciau i ffarmwrs mewn arwerthiannau, ac roedd hynny'n agoriad llygad – ro'n i'n sgwennu sieciau am filoedd o bunnau, hyd yn oed bryd hynny. Fel sy'n wir ym mhob cwmni, mae'n siwr, fel cyw newydd ro'n i'n gorfod gwneud y dyletswyddau hynny yr oedd gweddill y staff yn ceisio'u hosgoi, fel gwneud te ac yn y blaen. Pan oeddwn i wedi bod efo'r cwmni am dair wythnos neu fis, un diwrnod gofynnwyd i mi wneud te i rai o'r ffarmwrs a'r arwerthwyr oedd yn y cylch ym marchnad Porthaethwy. Ro'n i ar ganol dosbarthu'r paneidiau pan gododd un bustach ar gefn un arall yn y cylch! Roeddan nhw'n prancio o gwmpas y lle, a finna yn eu canol nhw yn trio 'ngorau i gadw allan o'u ffordd a pheidio â cholli'r te! Digon yw deud fod y trê a'r te wedi mynd i ebargofiant, a felly hefyd fy ngyrfa innau fel ocsiwnïar. Mi es i adref y diwrnod hwnnw a chyfaddef wrth fy rhieni nad oeddwn i'n hoff iawn o'r swydd.

Rhyw ddau fis yn ddiweddarach mi welais yr hysbyseb anhygoel hwnnw yn y papur. Perchennog papurau'r *Herald* ar y pryd oedd John Morris Jones, neu John Moi, o Bontnewydd, ac roedd o hefyd yn berchen cyfranddaliadau yng nghwmni Bob Parry. Safai swyddfeydd y ddau gwmni y drws nesaf i'w gilydd ar y Maes yng Nghaernarfon, ac roedd John Hefin yn nabod John Moi yn iawn. Roedd John Moi hefyd yn cael gwersi piano gan fodryb fy nhad, Anti Nel, yn Fron – ond er yr holl gysylltiadau, roedd yn rhaid i mi ymgeisio'n swyddogol am y swydd, a dyna fu. Mi ges i fy ngwahodd am gyfweliad, ac yn ddiweddarach daeth llythyr drwy'r post i adael i mi wybod 'mod i'n llwyddiannus, felly dechreuais fy ngyrfa yn adran gysodi papurau'r *Herald*. Mis Awst 1975 oedd hi, ond cyn sôn mwy am hynny, dwi am fynd â chi yn ôl i'r dechrau, a chyn hynny hyd yn oed ...

Jeff Eames

Ni fu Arwyn erioed yn un am sleifio i mewn yn ddistaw i'r swyddfa – yn hytrach, roedd o'n cyrraedd fel corwynt, yn fwrlwm o egni a brwdfrydedd, gan gynhyrfu pawb a phopeth o'i gwmpas.

Yn amlach na pheidio, roedd rhywbeth neu rywun yn rhywle wedi sbarduno'r cyffro yma ynddo – ac roedd Arwyn bob amser yn gweld y posibiliadau am stori. A chyda'r disgrifiadau mwyaf lliwgar âi ati i rannu'r wybodaeth a deffro diddordeb y newyddiadurwyr o'i gwmpas yn y stori mewn ffordd unigryw ac arbennig iawn.

Ddeugain mlynedd yn ôl, fuasai neb wedi proffwydo pa mor bwysig fyddai cyfraniad y bachgen 16 oed a benodwyd fel prentis yn swyddfa'r *Herald*. Yr adeg hynny yr oedd Arwyn wedi ymateb i hysbyseb yn cynnwys y llythrennau bras '16 year old boy wanted' – geiriad na fyddai'n dderbyniol o gwbl heddiw!

Dros y blynyddoedd, datblygodd Arwyn yn ffotograffydd medrus iawn ac mae ei gyfraniad wedi bod yn anhygoel gan gyffwrdd pob agwedd o fywyd yng Ngwynedd – ysgolion, cymdeithasau, chwaraeon, achosion da ac eisteddfodau. Nid oes ryfedd fod cymaint yn ei adnabod ac yn gwerthfawrogi ei waith caled, a theilwng iawn oedd iddo gael ei urddo i Orsedd y Beirdd am ei wasanaeth.

Un o nodweddion pwysicaf ffotograffydd, wrth gwrs,

ydi gwybod beth sy'n gwneud llun da ac mae ffotograffwyr, fel arfer, yn dymuno trefnu'r bobol yn y llun er mwyn cael yr effaith orau bosib. Ond ambell waith mae rhai yn cwestiynu hynny ac yn dymuno llywio'r achlysur eu hunain.

Ac ar adegau felly mae'n rhaid dwyn perswâd, mewn ffordd ddiplomyddol, mai ffordd y ffotograffydd fyddai'n gwneud y llun gorau. Ond weithiau mae diplomyddiaeth yn methu ac ar un achlysur bu i Arwyn gyrraedd pen ei dennyn gydag un person.

'Dwyt ti ddim yn gwybod pwy ydw i?' gofynodd y dyn iddo.

'Ydw,' meddai Arwyn, 'ond fi ydi'r ffotograffydd, gin i mae'r camera, ac yn fancw dwi isio i chi sefyll.' A dyna ddiwedd ar y drafodaeth arbennig honno!

Pan fydd rhywun mor gydwybodol ac ymroddgar ag Arwyn, y peth olaf mae neb yn ei wneud ydi cwestiynu'r ymroddiad yma. Ond dwi'n cofio un gaeaf pan oedd yr eira mor drwchus nes bod Arwyn wedi methu symud ei gar o'i gartref yn Rhosgadfan. Bu'n rhaid iddo gerdded tua phedair milltir i ddal bỳs, a chyrhaeddodd y swyddfa ganol y bore. Gofynnodd rhywun, nad oedd yn gwybod fawr ddim am Rosgadfan na'r effaith yr oedd eira yn ei gael yno, iddo: 'Oes gen ti ddim rhaw, dŵad?' Yr oedd wyneb Arwyn eisoes yn fflamgoch o ganlyniad i'w ymdrech i gyrraedd y gwaith, ond aeth yn biws ar ôl y cwestiwn yma, a throdd yr awyr o'i gwmpas yn las mewn ymateb i'r fath anwybodaeth a beiddgarwch. Teg dweud na wnaeth y person yma herio ffawd eilwaith!

Yr ydw i'n falch o fod wedi cydweithio efo Arwyn gydol y blynyddoedd, wedi mwynhau'r profiad a'r hwyl o fod yn ei gwmni, ac yn gwerthfawrogi'r cyfeillgarwch a'i gefnogaeth bob amser.

2
Taid a Nain Dreflan

Mi ges i fy ngeni yn Ysbyty Dewi Sant, Bangor ar ddydd Iau, 23 Gorffennaf 1959, yn unig blentyn i Robert (Robat) Wyn a Mair, ac ar wahân i gyfnodau lle bûm i yn y coleg yng Nghaerdydd, ac yn byw yn Llanberis am sbel, dwi wedi byw yn Rhosgadfan ar hyd fy oes. Cartre'r teulu oedd Cartrefle, a dwi'n dal i fyw yno heddiw.

Dwi am roi tipyn o wers daearyddiaeth i chi rŵan, gydag ymddiheuriadau i'r rhai ohonoch sy'n gwybod y cwbwl yn barod! Pentref yn Nyffryn Nantlle ydi Rhosgadfan, neu Rhosgad fel y mae'n cael ei alw'n lleol, ac mae'n enwog am ddau beth: chwareli llechi a Kate Roberts (er nad oedd gan yr hen drigolion ddim llawer i'w ddeud wrthi hi am ryw reswm! Roeddan nhw'n teimlo ei bod hi'n portreadu'r pentref fel lle tlodaidd yn ei straeon, dwi'n meddwl).

Mae Dyffryn Nantlle yn frith o chwareli mawr a bach, yn cynnwys y fwyaf, Chwarel Dorothea, sydd yn y newyddion yn reit aml gan fod pobol yn mynd i drafferthion wrth ddeifio i'r twll chwarel, sy bellach yn llawn o ddŵr. Y ddwy brif chwarel yn ardal Rhosgadfan oedd Cors y Bryniau, neu Alexandra, a chwarel y Foel, neu Chwarel Moel Tryfan – y ddwy drws nesa i'w gilydd fwy neu lai. Mae'r gyntaf wedi cael ei hanfarwoli yn nheitl cyfrol straeon Kate Roberts, *O Gors y Bryniau.*

Mae'r pentref tua 800 troedfedd (280m) uwchlaw'r môr, ac mae'r olygfa oddi yma yn anhygoel ar ddiwrnod braf. Os na fydda i'n ofalus, mi fedra i dreulio oriau'n syllu arni drwy ffenest y llofft, neu o'r ardd gefn. Mae Castell Caernarfon a'r dref i'w gweld yn glir oddi tanom; i'r gorllewin mi welwch chi'r Eifl a Phen Llŷn, ac mae bryniau Wicklow, Iwerddon, yn amlwg iawn ar ddiwrnodau clir. I'r gogledd mae Môn yn edrych yn agos iawn, hyd yn oed y corn ar hen waith Aliwminiwm Môn, ac mae'r llongau fferi anferth sy'n hwylio o borthladd Caergybi i'w gweld yn blaen yn mynd a dod. Ond os oes 'na eira ar y ffordd, mae 'na siawns go dda y bydd o'n taro Rhosgad – dyna'r pris y mae rhywun yn ei dalu am fyw ar ochr mynydd, am wn i. Dwi wedi cael fy nghau i mewn yma lawer gwaith dros y blynyddoedd, ac mae hynny'n gallu bod yn eitha braf weithiau hefyd, mae'n rhaid i mi gyfaddef, cyn belled nad ydi o'n para'n rhy hir.

Roedd Mam yn 37 yn fy nghael i, oedran a ystyrid yn weddol hen, ar y pryd, i feichiogi, ond sy'n ddim byd y dyddiau yma. Mi fu Mam yn wael am rai misoedd efo clwy crudcymalau, ac ar ôl cael fy ngeni mi fûm innau mewn *incubator* am tua wythnos, fatha cyw bach. Y rheswm am hynny, meddan nhw, oedd fy mod i wedi dechrau cael dirdyniadau – *convulsions* – felly welodd Mam mohona i am tua wythnos am ei bod hithau'n wael ar ôl yr enedigaeth. Dwi'n ei chofio hi'n deud mai 'Nhad a'm gwelodd i gynta, am eu bod nhw wedi fy symud i uned arbennig.

Pan o'n i'n blentyn ifanc, ro'n i'n treulio lot fawr o amser yn Tan Rhiw, fferm Nain a Taid ar ochr Dad. Ro'n i'n dotio at yr anifeiliaid, ac mae 'na amryw o luniau ohona i'n bwydo'r ieir yno, ond pan fu farw Taid, mi ddaeth hynny i ben. Symudodd Nain o Tan Rhiw, a doeddan ni ddim yn gwneud cymaint efo hi wedyn. Roedd hi'n ddynes grefyddol ofnadwy, ac yn reit strict, felly doedd 'na ddim llawer o groeso i hogyn bach yno, dwi'm yn meddwl.

Ar y llaw arall, roedd rhieni Mam – Dafydd Arthur a Gaynor Pritchard – fel mam a thad arall i mi. Mi oeddan ni'n gwneud lot efo'n gilydd. Petaen ni'n mynd am dro fel teulu roedd Nain a Taid – neu Nain yn sicr – yn dod efo ni bob tro. Un peth dwi'n gofio am hynny oedd ein bod ni wastad yn dod â physgodyn adra i Taid o'r siop chips – 'sgodyn yn unig gan nad oedd o'n lecio chips!

Mam oedd yr hynaf o'u plant nhw, ac roedd ganddi dri brawd ac un chwaer – Megan, Gwyndaf, Huw, a Richard.

Roedd tŷ Nain a Taid yn agos i'n tŷ ni – dau funud i ffwrdd oedd y Dreflan, y stad tai cyngor lle roeddan nhw'n byw – ac felly roeddan ni'n mynd yno'n aml. Mi o'n i'n byw ac yn bod yno, roedd o fel ail gartref imi, ac mi fasa fy nghefndryd a 'nghyfnitherod – Jeffrey, Ann, Gwyn, Dennis, Heulwen, Ken ac Eira – yn ddigon parod i gadarnhau fy mod i'n cael fy nifetha'n rhacs gan Nain a Taid. Wel, mae'r rhan fwyaf ohonyn nhw'n hŷn na fi, felly mi fasan nhw'n deud hynny, basan? Pan fyddai'r fan hufen iâ yn dod rownd y pentref, a finna'n swnian isio un, a Mam yn deud 'na', dim ond rhedeg i dŷ Nain a Taid oedd isio i mi, ac mi fyddwn yn siŵr o gael pres ganddyn nhw i brynu un. Nid bod Mam yn deud 'na' yn aml chwaith, ond mi oedd o'n digwydd weithia petawn i wedi bod yn hogyn drwg!

Roedd Taid yn un da am wneud taffi triog, ond roedd o'n eitha ffysi efo'i fwyd. Yn un peth, doedd o ddim yn lecio grefi! Roedd ei ginio dydd Sul yn edrych fel darn o waith celf – byddai'n codi pys i ddechrau, wedyn eu stwnsho nhw'n fân efo'i fforc. Gwneud yr un peth wedyn efo'i foron, a'r un peth eto efo'i datws, ac ar ben y 'grempog' yma o lysiau, mi fyddai'n rhoi lwmpyn mawr o fenyn, ac yn eu plastro nhw efo fo. Wrth gwrs, pan o'n i'n ifanc, mi fyddwn i'n ei efelychu o, ac mae o wedi dylanwadau arna i, i ryw raddau, hyd heddiw, achos mae grefi efo tatws stwnsh yn un o fy nghas bethau i. Ond dwi wrth fy modd yn eu bwyta nhw efo menyn.

Roedd Taid yn smociwr o fri, yn smocio Player's neu

Capstan Full Strength. Byddai'n gwneud rhyw fath o ffan efo'r pacedi gweigion, ac yn prynu llyfryn calendr bach i'w sticio'n sownd yn y ffan. Hwnnw fyddai ei galendr o am y flwyddyn.

Ymhen amser, mi newidiodd i smocio Embassy, ac roedd Nain yn hel y cŵpons oedd yn dod efo'r rheiny. Roeddech chi'n medru eu ffeirio am nwyddau o gatalog, ac mi dreuliais oriau lawer yn cyfri'r cŵpons ac yn edrych drwy'r catalog efo Nain i weld be fasa hi'n medru 'i gael efo nhw. Teclyn trydan i agor tuniau oedd un o'r pethau dwi'n ei chofio hi'n ddewis. Roedd hi'n hel Green Shield Stamps o lefydd fel Tesco hefyd, ac roedd yr un peth yn digwydd efo'r rheiny. Mi fyddai hi'n cymharu be oedd i'w gael efo'r cŵpons Embassy a'r stampiau 'ma, a dwi'n cofio mynd efo nhw i'r Rhyl i'r siop Green Shield oedd yno ar un adeg.

Roedd 'na ardd anferthol yn nhŷ Nain a Taid, a dwi'n cofio troi ei hanner hi i dyfu tatws a llysiau efo Taid. Mi o'n i wrth fy modd, ond chawson ni ddim llawer o lwc efo'r pys y tro cyntaf. Cnwd bychan iawn gawson ni, a doeddwn i ddim yn dallt pam. Adar neu lygod oedd yn cael y bai i ddechrau, ond erbyn gweld, Taid oedd yn mynd i'r ardd bob dydd, yn agor y codau ac yn sbydu'r pys i gyd!

Dwi wrth fy modd efo anifeiliaid, ac mi oedd 'na wastad gŵn yn tŷ Nain a Taid, ac roedd hynny'n atynfa i mi. Jac Russells neu gorgwn oedd ganddyn nhw fel rheol. Dwi'n cofio un yn cyrraedd acw ar ddiwrnod trychineb Aberfan. Rex oedd ei enw fo, ac mi o'n i wedi gwirioni efo fo.

Mi fu Taid yn cadw mochyn yno un tro hefyd. Mi wnaethon ni ffensio rhan o waelod yr ardd a gwneud cwt iddo fo. Dwi'n cofio hyd heddiw y diwrnod hwnnw pan benderfynodd y mochyn ei fod o isio ehangu ei orwelion. Do, mi ddihangodd o. Dwn i ddim sut y digwyddodd hynny, ond mi welwyd o'n mynd yn dalog drwy ganol y pentref. Wna i byth anghofio gweld Mam yn rhedeg ar ei ôl o efo brwsh llawr yn trio'i hel o'n ôl i'w le! Ond un diwrnod, beth amser wedyn, mi aeth 'rhen fochyn am byth. Roedd Yncl Gwyndaf yn gweithio yn lladd-dy FMC yng Nghaernarfon, a dwi'n meddwl mai i fanno yr aeth y mochyn druan, er na ches i wybod hynny ar y pryd.

Moto beics oedd un o hoff bethau Taid, ac mi oedd ganddo gwt yn yr ardd lle byddai o'n eu trin nhw. Pan o'n i yn yr ysgol gynradd ro'n i'n mynd i dŷ Nain a Taid am ginio bob dydd, ac er mai dau funud o daith oedd hi, byddai Taid yn dod i fy nôl i ar ei foto beic – oedd yn goblyn o antur i hogyn bach o gwmpas ei bump oed. Roedd Mam ofn y moto beic am ei bywyd – 'daetha hi ddim arno fo dros ei chrogi, ond ro'n i wrth fy modd, wrth gwrs. Moto beic piws oedd o, efo olwynion sbôcs arian mawr. Dwi ddim yn cofio pwy oedd y gwneuthurwr, ond dwi'n cofio'r wefr o gael mynd arno fo.

Un o deulu Gors, Rhosgadfan, oedd Nain Gaynor, neu Gein, ac yn y pentref yr oedd gwreiddiau Taid hefyd, er bod ganddo fo gysylltiad teuluol â Niwbwrch. O Niwbwrch oedd fy hen daid, Hugh Thomas Pritchard, yn dod yn wreiddiol, er ei fod wedi setlo yn Rhosgadfan. Roedd ei frawd – Edward Pritchard neu Yncl Ned – yn dal i fyw yn Niwbwrch, ond er mai brawd fy hen daid oedd o roedd o'n nes at Taid o ran oedran. Roeddan nhw'n agos fel arall hefyd.

Mae 'na rywbeth rhyfedd i'w weld ym mynwent y Foel, Rhosgadfan; rhywbeth sy wedi fy nharo fi ers blynyddoedd, ond dwi erioed wedi cael eglurhad andano. Yno mae'r rhan fwyaf o feddau 'nheulu, ac am mai ardal chwareli ydi Rhosgadfan, mae'r cerrig beddau i gyd wedi eu gwneud o lechi – ar wahân i un. Yng nghanol y fynwent mae bedd fy hen nain a thaid – Mary Harriet a Hugh Thomas Pritchard

– a brawd Taid, Tom Jeffrey, a fu farw'n ifanc o niwmonia. Mae'r garreg fedd honno o farmor brown. Mae'n tynnu eich sylw chi yng nghanol y môr o lechi, ac mae'n destun dirgelwch i mi. Dwi'n gobeithio y gall rhywun egluro hyn i mi rhyw dro.

Fel llawer o deuluoedd Niwbwrch, bu fy hen daid, fy nhaid ac Yncl Ned ar y môr, ond aeth neb arall o'r teulu i'r môr, hyd y gwn i, a fu gen innau rioed awydd mynd chwaith. Mae'n well gen i gadw 'nhraed yn sych, diolch yn fawr!

Mi dreuliodd Mam amser maith yn Niwbwrch, am mai hi oedd y plentyn hynaf, am wn i. Roedd hi'n mynd yno i chwarae efo Anti Maggie, Anti Rhiannon ac Anti Nellie, plant Yncl Ned a oedd yn agos at oedran Mam. Roedd Yncl Ned wedi colli ei wraig ers blynyddoedd, felly wnes i erioed ei chyfarfod hi, ond mi oeddwn innau'n mynd i Niwbwrch yn aml efo Mam a Dad ar bnawn Sadwrn neu Sul. Mi fedra i weld y tŷ yn glir yn fy meddwl rŵan – roedd 'na ddresal ar y wal a bwrdd yn y canol – ac mi fyddai Anti Maggie yno yn ei brat, bob amser yn cynnig brechdan fenyn a phanad i mi.

Mi wela i Yncl Ned a'i fwstash gwyn yn glir hefyd; ei getyn yn ei geg a'i gap am ei ben yn eistedd yn ei gadair efo rhyw fath o siôl neu blanced dros ei goesau. Fel Ned Pritchard, neu Ned Ty'n Pant, yr oedd pawb yn ei nabod o yn yr ardal. Dyn busnes oedd o, yn gwerthu glo ac yn bridio tyrcwns a ballu, ond ei brif waith oedd y cwmni bysys – Bysys Edward Pritchard. Bysys glas tywyll oeddan nhw, ac mi oedd o'n dal i'w dreifio nhw yn ei wythdegau os nad ei nawdegau. Dwi ddim yn siŵr i ba ardaloedd y byddai'n gyrru'r bysys – dwi'n amau ei fod o'n mynd â phlant i'r ysgol ym Mhorthaethwy neu Langefni ers talwm, ac roedd o hefyd yn danfon gweithwyr i chwarel Dinorwig – ond un o'r teithiau pwysicaf oedd y bererindod wythnosol bob dydd Iau i'r farchnad yn Llangefni. Petai rhywun yn prynu mochyn bach neu ieir neu rwbath felly yn y farchnad, mi fyddai Yncl Ned yn gadael iddyn nhw ddod â nhw ar y bỳs adref, yn union fel maen nhw yn yr Andes neu India neu rywle felly! Mi dynnais ei lun o i'r papur pan oedd o'n gant oed.

Roedd Mam yn treulio gwyliau'r Pasg a'r haf yn Niwbwrch, ac yn byw a bod yn Llanddwyn. Dwi erioed wedi bod yn Llanddwyn fy hun. Does 'na ddim rheswm penodol am hynny, a dwi wedi meddwl mynd yno sawl gwaith, ond mae o'n un o'r llefydd hynny dwi erioed wedi cael cyfle i fynd iddo. Tan i mi ddechrau gweithio i'r *Herald*, doeddwn i erioed wedi bod i mewn yng Nghastell Caernarfon chwaith! Ond mi faswn i wedi lecio mynd â Mam yn ôl i Landdwyn, achos dwi'n ei chofio hi'n deud ei bod hi wedi sgwennu ei henw – 'MP' – ar garreg tu allan i'r bythynnod peilotiaid sydd yno. Ond chawson ni erioed mo'r cyfle, a dwi'n difaru hynny.

Wna i byth anghofio marwolaeth Taid yn 1982. Ro'n i wedi mynd i Iwerddon, i'r Ŵyl Ban Geltaidd yn Cill Airne (Killarney) efo un o fy ffrindiau gorau – Alwyn Lloyd Roberts o Lanberis a chriw o'i ffrindiau o nad oeddwn i'n eu nabod cyn hynny. Mynd am yr hwyl oeddan ni, nid i gystadlu na dim byd felly! Roeddan ni'n cyrraedd yno ar ddydd Iau, ac wedi setlo i lawr am benwythnos hir o hwyl. Ond ychydig oriau ar ôl i ni gyrraedd, a ninna'n cael peint, dyma rywun yn dod aton ni a holi; 'oes 'na rywun yn nabod Arwyn Roberts yma? Mae isio iddo fo ffonio adra, mae 'na farwolaeth wedi bod yn y teulu.' Mi es i'n oer drostaf. Mi ges i goblyn o sioc – wedi'r cwbwl, roedd pawb yn hollol iach pan gychwynnais i – a'r rhai cyntaf y gwnes i feddwl amdanyn nhw oedd Mam a Dad. Ffoniais fy nghyfnither, Ann, a chael clywed bod Taid wedi marw'n sydyn.

Penderfynais ddod yn ôl adra ar y bore Gwener, a chwarae teg iddo fo, mi ddaeth Alwyn efo fi. Roedd ffrind arall wedi dod â fy nghar i Gaergybi, gan mai efo bŷs Tegwyn Williams, trefnydd yr ŵyl yng Nghymru, yr aethon ni drosodd. Wna i byth anghofio gorfod gyrru adref o Gaergybi i Rosgadfan. Mi oedd honno'n siwrnai annifyr iawn, ac yn siwrnai nad oeddwn i byth isio'i gwneud hi eto. Erbyn deall, roedd Nain wedi gwrthod mynd i'w gwely nes i mi gyrraedd adref. Ond hyn sy'n eironig: gwta ddeng mis wedyn mi ddigwyddodd rhywbeth tebyg iawn. Roedd Hywel Hughes, ffotograffydd papurau'r *Herald* ar Ynys Môn, i ffwrdd ar ei wyliau ac ro'n i'n gweithio ar yr ynys yn ei le fo. Ro'n i yn y swyddfa yng Nghaergybi un diwrnod pan ffoniodd Mam i ddeud bod Nain wedi marw, felly roedd yn rhaid i mi wneud yr un siwrnai yn union eto, dan yr un amgylchiadau trist. Mi oedd colli Nain a Taid mor agos i'w gilydd yn dipyn o ergyd, does dim dwywaith am hynny. Er mai fi oedd y dyn agosaf ati yn y teulu, fedrwn i ddim cario'i harch hi yn y cynhebrwng, gan fy mod i dan gymaint o deimlad.

Pan fydda i'n meddwl am fy mhlentyndod cynnar, Nain a Taid dwi'n eu cofio yn anad dim arall, gymaint oedd eu dylanwad arna i.

Er 'mod i'n treulio lot fawr o amser yng nghwmni fy nheulu, roedd gen i ddigon o ffrindiau yn yr ysgol ac yn y pentref, ac roedd fy nghyfnod yn yr ysgol gynradd yn Rhosgadfan yn gyfnod braf iawn. Cymraeg oedd iaith y pentref fwy neu lai yn ddieithriad, a phrin fy mod i'n siarad Saesneg tan o'n i tua wyth oed. Doeddwn i ddim angen yr iaith o ddydd i ddydd, nag oeddwn? Ond mae 'na ffarm dros y ffordd i tŷ ni o'r enw Bryn Golau, a dwi'n cofio'r teulu 'ma o Birmingham yn symud yno i fyw – gŵr a gwraig a thri o blant: dau hogyn a hogan. Doedd gen i ddim llawer o Saesneg, ac roedd hyn cyn i ni gael teledu, felly do'n i ddim wedi codi llawer o'r iaith oddi ar hwnnw chwaith. (Doedd 'na ddim teledu na dim byd felly acw tan oeddwn i tua phump neu chwech oed, a doedd gynnon ni ddim ffôn acw am flynyddoedd chwaith.) Doedd ganddyn nhw ddim gair o Gymraeg, wrth reswm, felly roeddan ni'n chwarae'n ddwyieithog hollol – nhw'n siarad Saesneg ffŵl sbîd a finnau'n parablu yn Gymraeg efo nhwthau. Ond roeddan ni'n dallt ein gilydd, mae'n rhaid, ac mi ddaethon ni'n ffrindiau mawr trwy hynny. Alan a Pauline Burford oedd y rhieni ac Adrian, Glen a Beverley oedd y plant. Maen nhw'n dal i fyw yn yr ardal.

Roedd yr ysgol yn nodweddiadol o ysgolion bach gwledig drwy Gymru am wn i – dosbarthiadau bychan o ran nifer, a gwahanol oedrannau'n cael eu dysgu mewn grwpiau o fewn yr un dosbarth. Hogiau oedd mwyafrif fy nosbarth i, a fy ffrindiau pennaf oedd Tecwyn Pierce, Colin Davies a Geraint Williams. Roedd fy nghyfnither, Heulwen, yn y dosbarth hefyd, er ei bod hi ddwy flynedd yn hŷn na fi. Mam oedd yn mynd â fi i'r ysgol bob dydd yn y dechrau, ond am fy mod i isio ymddangos yn hogyn mawr, ar ôl ychydig ro'n i'n mynnu cael cerdded efo fy nghefnder Dennis, sy bum mlynedd yn hŷn na fi. Mi oedd fy nghefndryd eraill – Jeffrey, Ann a Gwyn – wedi mynd i'r ysgol fawr erbyn hynny, felly Dennis oedd yr arwr mawr. Roedd o'n dod acw i fy nôl i bob bore, ac roedd hynny'n plesio'n arw.

Un tro mi fu'r ddau ohonan ni mewn trwbwl – yn lle gwneud ein gwaith cartref yn hogia da, mi ddywedon ni wrth ein rhieni nad oeddan ni wedi cael dim, a stwffio'r llyfrau i'r bin wrth ymyl y siop chips. Chawson ni ddim get-awê efo hi, ac roedd yn rhaid i ni fynd i'w nôl nhw y diwrnod wedyn. Drwy lwc, mi oeddan nhw'n dal yno, ond mi gawson ni dipyn o ffrae 'run fath.

Yn ystod y cyfnod hwnnw, dwi'n cofio'r cyffro pan ddaeth y pres newydd allan yn 1971 – y pres degol. Roeddan ni'n mynd i siop Mr a Mrs Fellows yn y pentref, neu Siop William ar lafar gwlad, er mwyn newid yr hen bres am bres newydd – neu 'prynu pres newydd' fel roeddan ni'n ei alw fo! Roedd nifer o siopau eraill yn y pentref bryd hynny – roedd Siop Anti Rosie yn gwerthu pob math o bethau, o dda-da i ddillad ac o fwyd i bapurau newydd, a lle poblogaidd iawn oedd Becws Yncl Nen. Doedd y siopau eraill ddim yn agor tan naw, ond roedd y becws yn agored yn gynnar, ac roedd y plant i gyd yn stopio yno ar y ffordd i'r ysgol, a phawb yn ffrindiau efo Yncl Nen –dyn ffeind dros ben a fyddai'n rhoi *iced bun* am ddim i bob plentyn. Gwnaeth y Llywodraeth arbrawf un tro – un ai doeddan nhw ddim yn troi'r cloc, neu roeddan nhw'n ei droi o ddwy awr yn lle'r awr arferol, dwi'm yn cofio p'run. Beth bynnag, mi roddodd Cyngor Sir Gaernarfon ddau fand braich, rhai melyn llachar, i bob plentyn yn y sir i roi ar eu cotiau, a dwi'n cofio mynd i'r becws a hithau'n dywyll fel y fagddu, efo'r pethau melyn 'ma ar ein breichiau. Mi oedd 'na siop bwtsiar a siop chips yn y pentref ar un adeg hefyd, a Swyddfa Bost oedd â siop ynddi. Roedd 'na fwy na hynny hyd yn oed cyn fy amser i, ond does 'na ddim un ar ôl erbyn hyn – stori gyfarwydd mewn sawl pentref, gwaetha'r modd.

Fy mhrofiad eisteddfodol cyntaf oedd ymweliad ysgol ag Eisteddfod Llangollen pan o'n i tua chwech oed. Roedd Heulwen, fy nghyfnither, wedi cael ei siarsio i gadw golwg arna i, ond mi lwyddais, rywsut, i golli pawb o'r criw. Diolch byth, roedd gen i ddigon o synnwyr i fynd i chwilio am blisman, ac mewn rhyw gwt efo'r plisman hwnnw fues i am sbel go lew nes i'r athro ddod i fy nôl i. Mi gafodd Heulwen goblyn o row am fy ngholli y diwrnod hwnnw – gan y prifathro ac ar ôl cyrraedd adra!

Achlysur arall o 'mhlentyndod sydd wedi aros yn y cof ydi'r Arwisgo yn 1969. Cafodd pob plentyn yn y sir wydr efo arfbais y Tywysog Charles arno, i gofio'r digwyddiad, ond wnaeth y gwydr hwnnw ddim cyrraedd Cartrefle. Mi oedd o wedi malu'n rhacs cyn gadael cyffiniau'r ysgol. Dwi ddim yn cofio a oedd hynny'n fwriadol ai peidio, cofiwch!

Roedd ceir bach Dinky neu Corgi yn boblogaidd iawn pan o'n i'n blentyn, a setiau Meccano, ond doedd gen i ddim llawer i'w ddeud wrth bethau felly. Anifeiliaid fferm oedd fy niddordeb mawr i – hynny ac adeiladu pob math o greadigaethau efo Lego. Mi dreuliais i a'm ffrindiau oriau lawer yn chwarae ar hyd y tomenni chwarel, chwarae cowbois neu sowldiwrs, neu beth bynnag oedd yn mynd â'n bryd ni ar y pryd. Fel ro'n i'n mynd yn hŷn, mi fyddwn i'n mynd i fyny'r mynydd ac i'r chwarel a phobman ar fy meic – ro'n i wrth fy modd yn ei reidio. Dwi'n cofio cael Chopper pan oedd rheiny'n ffasiynol – mi oedd hwnnw'n hwyl. Beic oedd hwn efo olwyn ôl fawr ac olwyn lai ar y ffrynt, *handlebars* uchel a sêt wahanol i seti beics arferol, bron fel siâp banana hefo cefn arni. Roedd 'na gêrs ar y beic hefyd, efo handlan debyg i'r un a gewch chi mewn car. Ches i erioed feic newydd sbon. Y drefn acw – ac mewn sawl cartref arall hefyd – oedd prynu beic ail-law a'i ddiweddaru efo stwff newydd. Olwynion newydd sbon, côt o baent, *mudguards* newydd ac yn y blaen. Roedd o fel beic newydd wedyn i bob pwrpas – dim ond y ffrâm oedd yn ail-law pan dach chi'n meddwl am y peth! Dwi'n cofio fel byddai Dad yn hongian y beics yn y sied pan oedd o isio eu sbreio nhw. A deud y gwir, roedd yn well gen i gael beic ail-law nag un newydd sbon achos roedd y broses o'i rigio fo a'i beintio fo yn rhan o'r hwyl. Roeddach chi'n ei weld o'n datblygu'n raddol nes ei fod o fel beic newydd sbon. Ond buan iawn yr oedd o'n grafiadau a 'sgythriadau byw, wrth gwrs. Mi ges i sawl damwain a chodwm, ond wnes i rioed frifo'n rhy ddrwg, drwy lwc.

Roedd yr ardal i gyd fel rhyw barc antur mawr i blant – digonedd o wahanol lefydd i fynd i chwarae a gwneud drygau, ond ar y mynydd ac yn y tyllau chwarel yr oeddan ni fwya. Llefydd peryglus, ma' siŵr, ond doeddan ni'r plant ddim yn gweld hynny, wrth gwrs– roeddan ni'n rhy brysur yn mwynhau ac yn cael hwyl (ac mi gawson ni ddigonedd o hwnnw, mae hynny'n saff). Dwi'n cofio fel yr oeddan ni'n gwneud den yno, ac mae'n gyrru ias i lawr fy nghefn braidd wrth feddwl pa mor beryglus oedd hwnnw: waliau llechi digon cadarn oedd sylfaen y peth, ond roedd angen to, yn doedd? Mi ddaethon ni ar draws rhyw dameidiau o goed yn rwla, ond roeddan ni yn rhoi llwythi o lechi ar ben rheiny wedyn! Meddyliwch – tasa'r peth wedi disgyn ar ein pennau, mi fasan ni wedi brifo neu gael ein claddu. Yn ffodus, wnaeth hynny ddim digwydd.

Mi oedd y capel – Capel Gorffwysfa – yn chwarae rhan fawr yn fy mywyd i pan oeddwn i'n blentyn yn y chwedegau a'r saithdegau, tan oeddwn i tua 18 i 20 oed, achos roedd Dad yn flaenor yno ac roedd Mam o hyd yn helpu i dorri bara ar gyfer y cymun ac ati. Am ein bod ni'n byw drws nesa ond un i'r capel, roedd tŷ ni'n cael ei ddefnyddio fel tŷ capel, achos doedd 'na ddim un o'r rheiny. Fel pob capel arall ar hyd a lled Cymru ar y pryd, roedd yno gyfarfod boreol, ysgol Sul yn y pnawn ac oedfa'r hwyr. Os byddai gweinidog neu bregethwr yn dod o bell, mi fyddai Mam yn gwneud cinio dydd Sul, te a swper iddo, cyn iddo ei throi hi am adref. Doeddwn i ddim yn lecio hyn o gwbl pan o'n i'n blentyn, achos roedd o'n golygu na chawn i fynd allan i chwarae!

Un dwi'n ei gofio'n dod acw fwy nag unwaith oedd Evan Evans – sef yr Archdderwydd Gwyndaf. Roedd o'n bennaeth Addysg Grefyddol yn Ysgol Brynrefail, ac roedd galw mawr amdano fel pregethwr. Er mai dim ond yn Llandudno yr oedd o'n byw, mi fyddai'n dod acw yn y bore, ac acw y byddai o tan yr hwyr. Hynny ydi, roedd o'n treulio'r diwrnod efo ni, ac yn mynd i'r ysgol Sul a phob dim. Roedd o'n ganwr da iawn yn ôl pob sôn. Roedd ganddo fwstash bach, a phob amser yn drwsiadus mewn tei a chrys gwyn, ond be dwi'n gofio fwyaf amdano ydi fod top ei drowsus o'n cyrraedd hanner ffordd i fyny ei frest o, fel yr oedd y drefn bryd hynny am ryw reswm, yn debyg i Simon Cowell heddiw! Fedra i yn fy myw â deall pam – bresys ella – ond roedd o'n edrych yn eitha doniol i mi. Mi fu'n Archdderwydd o 1966 i 1969, ac wedyn yn Gofiadur yr Orsedd am rai blynyddoedd.

Pan o'n i'n blentyn, ychydig iawn o sôn oedd yn Rhosgadfan am Kate Roberts. Fel y soniais i eisoes, ymhlith cenhedlaeth Nain a Taid, doedd 'na ddim llawer o gariad ati. Fedra i ddim egluro pam, ond roedd o'n amlwg. Adfail oedd ei hen gartref hi, Cae'r Gors, ac roeddan ni'n mynd yno i chwarae lot. Dwi wedi bod ar ben y to yno lawer gwaith! Cafodd y lle ei adnewyddu'n llwyr a'i ailagor yn 2007/08 fel Canolfan Kate Roberts – diolch yn bennaf i weledigaeth y diweddar annwyl Dewi Tomos. Mae'r lle'n dal ar agor a bellach yng ngofal Cadw.

Dwi'n meddwl mai'r tro cyntaf i mi gyfarfod Kate Roberts oedd pan o'n i yn yr ysgol gynradd. Dwi'n ei chofio hi'n dod i Rosgadfan unwaith eto yn 1971, er mwyn cyflwyno ei chartref i ofal ymddiriedolwyr er budd y genedl. Ond doedd o yn ddim byd ond pedair wal – byddai defaid yn mynd yno i gysgodi – felly dwi ddim yn siŵr be yn union oedd bwriad Kate Roberts wrth roi'r tŷ i'r pentref! Roedd hi'n gwisgo siôl neu ryw fath o glogyn ac roedd ganddi het am ei phen, a dwi'n cofio meddwl nad oedd Rhosgad erioed wedi gweld cymaint o bobol bwysig efo'i gilydd o'r blaen. Dwi'n credu eu bod nhw wedi mynd i'r capel i ddechrau, a cherdded i lawr o fanno i Gae'r Gors. Ond yn fwy na'i phresenoldeb hi a phawb arall, yr hyn dwi'n gofio fwyaf am yr achlysur ydi gweld ffotograffwyr y wasg yno'n tynnu lluniau, yn cynnwys yr enwog Geoff Charles, erbyn deall – ffotograffydd *Y Cymro*. Yr hyn aeth drwy fy meddwl o'u gweld nhw oedd: 'Ew, dyna job dda!' Wyddwn i ddim ar y pryd mai dyna fyddai fy swydd innau lai na deng mlynedd yn ddiweddarach.

Pan fyddai pobol yn holi be o'n i isio'i wneud ar ôl gadael yr ysgol, actio oedd yr ateb bob tro. Ia, wir i chi! Mi fasa rhai'n deud 'mod i'n hoff iawn o actio'r ffŵl o hyd. Ro'n i'n adrodd (llefaru faswn i heddiw) mewn eisteddfodau bach lleol ac yn y capeli, ond dwi ddim yn siŵr iawn o le ges i'r chwiw actio. Roedd Twm Williams, brawd Nain, yn adroddwr eitha adnabyddus, felly mae'n bosib mai o fanno y daeth o. Ond es i ddim pellach na hynny efo'r syniad, a wnes i rioed actio mewn dim byd. Doedd Mam a Dad ddim yn ei weld o'n syniad da o gwbl! Doedd 'na ddim sôn am S4C ar y pryd, cofiwch, felly mae'n siŵr fod cyfleon yn weddol brin ym myd actio, ac mi ges i fy narbwyllo ganddyn nhw y byddai'n well i mi chwilio am swydd mwy diogel a dibynadwy. Dwi ddim yn difaru hynny'n ormodol.

Aled Jones Griffiths

Fe gwrddais ag Arwyn, neu Mwsh fel mae o'n cael ei nabod bellach, am y tro cyntaf (fel y rhan fwya o bobol mae'n debyg) pan ddaeth i Ysgol Dyffryn Nantlle i dynnu fy llun wedi imi ennill cystadleuaeth siarad cyhoeddus yn Eisteddfod yr Urdd pan oeddwn yn y chweched dosbarth.

O'r diwrnod hwnnw ymlaen fe dyfodd ein cyfeillgarwch, a phan oeddwn yn gweithio yng Nghaernarfon ar ôl gadael yr ysgol roeddan ni wastad yn cwrdd am ginio yn Caffi Cei – a phawb fyddai'n dod i mewn i'r caffi yn adnabod Arwyn. Fo *oedd* y *Caernarfon & Denbigh* bryd hynny, ac felly mae hi hyd heddiw.

Ers y dyddiau cynnar hynny, yr hyn sydd wedi sefyll allan i mi am ein cyfeillgarwch yw haelioni a pharodrwydd cyson Arwyn, a'i gymwynas. Mae'n berson caredig a chymdeithasol ac fe ŵyr unrhyw un sydd wedi bod yn yr un gwesty ag o, p'un ai mewn Eisteddfod neu gêm rygbi ryngwladol, ei fod yn hoff iawn o gymdeithasu a chwerthin a rhannu straeon doniol a difyr am ei brofiadau a'i waith.

Un o'r adegau niferus y cafodd Mwsh fi allan o dwll efo'i natur hael a chymwynasgar oedd pan fuon ni ar drip i Blacpwl efo llond bŷs o ardal Caernarfon a Llanberis. Roedd Mwsh wedi deud wrtha i ein bod fel criw yn mynd i glwb nos – un o'r rhai roedd angen siaced a throwsus smart arnoch chi er mwyn cael mynediad. Wedi cyrraedd Blacpwl, mi es ar f'union i siop ddillad enwog, dewis siaced a throwsus a wnâi'r tro a mynd i dalu gyda 'ngherdyn banc. Ar ôl ciwio am yn agos i ddeng munud, a hithau'n nesáu at bump o'r gloch ac amser cau, cyrhaeddais y til – a darganfod nad oedden nhw'n derbyn taliadau cerdyn. Panic - be wnawn i? Chawn i ddim mynd i'r clwb nos efo'r hogia, achos roedd pob siop arall wedi cau! Dyma roi bloedd am help! Gwaeddais 'MWSH!!' dros y siop, ac ymddangosodd Arwyn wrth f'ochor. Heb oedi na holi sut oeddwn am ei dalu'n ôl, talodd am fy nillad.

Mae Mwsh hefyd yn berson hynod feddylgar ac yn meddwl am eraill yn gyson. Mi sefydlodd o, gyda chefnogaeth nifer o unigolion eraill, Ŵyl Fai Dyffryn Nantlle er mwyn codi arian at elusennau cenedlaethol a lleol, ac ers yr ŵyl gyntaf yn 1994 mae'r gweithgareddau wedi casglu dros £100,000 tuag at elusennau, yn achosion da a chlybiau a chymdeithasau lleol. Gweledigaeth Arwyn oedd yr ŵyl ac mae'n dal i fynd o nerth i nerth hyd heddiw – dyma i mi fydd etifeddiaeth Arwyn, yn ogystal â'i luniau a'i gyfeillgarwch, wrth gwrs.

Roedd fy nyled i yn fawr i Mwsh wedi trip Blacpwl, ac mae'n dyled ni fel cymdeithas yng Nghymru ac yn Nyffryn Nantlle yn fawr iddo hefyd am ei gymwynas, ei haelioni a'i wasanaeth i'r *Caernarfon & Denbigh*, i gymdeithas ac i sefydliadau ac eisteddfodau lleol. Diolch Mwsh – ac ymlaen am y 40 nesaf.

3
Mam a Dad ... a'r ysgol fawr

Cadw tŷ oedd prif waith Mam ar hyd ei hoes, fwy neu lai, ond mi fu hi hefyd yn gweithio yn siop y Nelson yng Nghaernarfon. Siop amladran yn gwerthu pob math o gynnyrch tŷ oedd y Nelson, ac fe'i llosgwyd yn ddrwg ddwywaith yn ystod ei hoes – y tro cyntaf yn 1948 a'r ail dro yn 1992. Roedd yr ail achos yn un o nifer o danau mawr ddigwyddodd yn yr ardal yn y nawdegau cynnar. Ond sylw un hen wag pen welodd o weddillion y Nelson yn dilyn yr ail dân oedd mai 'half-Nelson' oedd hi bellach! Mi fydd rhai ohonoch yn adnabod y term hwnnw fel un o'r symudiadau yr arferai'r sylwebydd Kent Walton gyfeirio atynt yn y dyddiau pan oedd reslo'n boblogaidd ar y teledu ar brynhawniau Sadwrn ers talwm.

Yn Chwarel y Foel roedd 'Nhad yn gweithio. Byddai'n cerdded o'r pentref, i fyny ochr y mynydd at y domen, dros y llechi ac i'r sied fawr lle roedd o'n gweithio efo tua dwsin arall. Roedd hi'n bell dros filltir o daith, ond roedd o'n ei gwneud hi ym mhob tywydd, er y gallai fod wedi mynd yn y car y rhan fwyaf o'r ffordd. Hollti llechi a naddu fyddai o, ac mi fyddwn i wrth fy modd yn mynd i'w weld o wrth ei waith yn y sied hir oedd â phob math o beiriannau ynddi i dorri'r garreg. Yma ac acw ar y to, roeddan nhw wedi rhoi darnau o blastig neu Perspex yn lle llechi, er mwyn gadael mwy o olau i mewn, ac mae gen i atgof clir iawn o weld pelydrau'r haul drwy'r rhain, yn amlygu'r holl lwch oedd yn codi. Prin oeddech chi'n gallu gweld eich trwyn yno, roedd yr awyr mor dew o lwch llechi, ond doedd neb yn gwisgo masgiau, o be dwi'n gofio. Fanno fu 'Nhad am flynyddoedd tan ddechrau'r saithdegau pan gaeodd y chwarel, ac mi fu'n gweithio yn ffatri plastics Bernard Wardle yn safle Peblig, Caernarfon, wedyn am flynyddoedd. Cau fu hanes fanno hefyd ymhen hir a hwyr, ond cyn hynny cafodd 'Nhad drawiad ar ei galon, neu dyna ddywedwyd wrthon ni ar y pryd. Doedd hynny ddim yn wir, erbyn deall.

Mi oedd o'n mynd yn fyr o wynt ar ddim, ac fel y rhan fwyaf o ddynion ei oed o, roedd o'n smocio – rôl-iôr-own a Woodbines. Y sigaréts oedd yn cael y bai gan y doctoriaid am ei gyflwr o. Roedd chwarelwyr oedd yn cwyno o effaith y llwch yn gorfod mynd i ryw le yn yr hen ysbyty C&A ym Mangor i gael eu profi am silicosis, ac roeddan nhw'n cael taliadau'n ddibynnol ar lefel y llwch. Naw y cant oedd lefel y llwch yn ysgyfaint fy nhad yn ôl y profion, meddan nhw, ac roedd o'n cael tâl ar sail hynny ers canol y saithdegau. Ond wrth gwrs, roedd y Llywodraeth isio cadw'r ffigwr mor isel â phosib, ac felly doedd lefel llwch y dioddefwyr ddim yn newid o flwyddyn i flwyddyn. Roedd o, a rhai eraill tebyg iddo fo, yn gorfod mynd am archwiliad meddygol bob pum mlynedd er mwyn gosod y lefel llwch – a'r taliad. Ond yr un oedd y dyfarniad bob blwyddyn – 9%. Roedd o'n gwybod cyn mynd yno beth fyddai'r canlyniad. Roedd y peth yn ffars a deud y gwir. Mi aeth o yno am archwiliad ym mis Tachwedd 1988, a'r un stori oedd hi, ond bu farw ym mis Chwefror 1989 yn 67 oed. Tri mis oedd wedi pasio ers ei archwiliad diwethaf, ond roedd yn rhaid cael post mortem oherwydd ei fod dan law doctor, a bod ganddo silicosis. Mi es i i'r gwrandawiad ym Mangor, yng nghefn yr adeiladau lle'r oedd gorsaf yr heddlu ers talwm, a lle mae Marks & Spencer rŵan. Mi ges i fy synnu braidd pan ddywedwyd nad oedd fy nhad wedi cael trawiad ar y galon yn y saithdegau, fel yr oedd y doctoriaid wedi'i ddeud ar y pryd. Doedd 'na ddim marc ar ei galon o o gwbl, meddan nhw. Ond mi ges sioc enbyd pan glywais i ei fod wedi marw efo 90% o lwch chwarel ar ei ysgyfaint.

Mi ddywedodd y Crwner nad oedd o'n cofio gweld neb efo cymaint o silicosis â 'Nhad, ac mai dyna a'i lladdodd. Roedd rhywun yn rhywle wedi bod yn camarwain ac yn deud celwydd. Un achos oedd o, ac yn amlwg, roedd 'na gannoedd o rai tebyg ar hyd a lled y wlad.

Mi es i i weld Tom Jones o undeb y T&G, a Dafydd Wigley wedyn, er mwyn gwneud achos dros gael pensiwn neu arian iawndal diwydiannol i Mam. Mi fu'r ddau yn dda iawn yn cwffio achos Mam i gael rhyw fath o bensiwn, a dwi'n siwr mai oherwydd ei waith yn sicrhau rhyw fath o iawndal i chwarelwyr oedd wedi dioddef o effeithiau llwch yr ydw i – a llawer tebyg i mi – wedi teimlo'r atynfa i gefnogi Dafydd Wigley.

Dwi'n ei gweld hi'n anodd mynd i lefydd fel yr Amgueddfa Lechi Genedlaethol yn Llanberis – mae'n dod â lot o atgofion yn ôl i mi. Dwi'n ei ffeindio hi'n anodd mynd i rywle fel Castell Penrhyn hefyd – nid am yr un rheswm â phobl Bethesda a Dyffryn Ogwen, efallai, er 'mod i'n parchu eu rhesymau nhw dros wrthwynebu. Mae drwgdeimlad yn dal i fodoli'n lleol yn erbyn y lle oherwydd y Streic Fawr. Ond dwi'n ei theimlo hi'n anodd mynd yno – a dwi'n gorfod mynd o dro i dro efo fy ngwaith yn ffotograffydd – oherwydd y cyfoeth anhygoel oedd yn y lle, a'r holl elw wnaeth yr Arglwydd Penrhyn ar gefn y chwarelwyr cyffredin heb osod safonau iechyd a diogelwch gwell yn y chwareli. Mater bach fyddai hynny i rywun efo'i gyfoeth o, a dyna pam dwi'n teimlo'n reit chwerw am y peth. Tasa 'Nhad wedi marw o achosion naturiol ... wel, iawn. Ond silicosis oedd arno fo. Ac mae'r ffaith fod lefel y llwch yn ei ysgyfaint wedi codi o 9% i 90% mewn tri mis yn dangos y diffyg parch mwyaf ofnadwy gan rai o fewn y llywodraeth ar y pryd, a llywodraethau o'u blaenau nhw, tuag at weithwyr cyffredin. Dyna sy'n fy nghorddi fi. A be sy'n drist ydi ein bod ni'n sôn am gyfnod pan oedd y Blaid

Lafur mewn grym, Harold Wilson a Jim Callaghan ar ei ôl o, sef y blaid oedd i fod i amddiffyn hawliau'r gweithwyr. Ond wnaethon nhw ddim byd i helpu achos y chwarelwyr. Roedd llawer yn teimlo bod Llafur wedi troi cefn ar y gweithwyr, ac mi newidiodd rhai fel fy nhad, fy nhaid a channoedd o rai tebyg iddyn nhw, eu lliw gwleidyddol o Lafur i Blaid Cymru oherwydd hyn.

Ar ôl dyddiau dedwydd yr ysgol gynradd mi ddaeth hi'n bryd symud, nid cweit i'r Ddinas Fawr Ddrwg, ond i'r lle nesa ati – Caernarfon. Anaml iawn y bydd pobol sy'n byw mewn ardaloedd gwledig yn cyfeirio at y dref fawr agosaf wrth ei henw. 'Mynd i dre ...' fyddan nhw'n ddeud bob tro. I rai o bobol Môn mae hynny'n golygu mynd i Gaergybi neu Langefni; ym Mhen Llŷn mae'n cyfeirio at Bwllheli, a'r un modd mewn rhannau o Feirionnydd, lle mae 'mynd i dre' yn golygu trip i Ddolgellau. I dalp helaeth o Sir Gaernarfon 'dre' ydi Caernarfon, ac i fanno yr oedd plant bach Rhosgad yn mynd i'r ysgol uwchradd efo plant o bentrefi eraill yr ardal, megis Rhostryfan, Bontnewydd, Dinas, Felinheli a Bethel, er bod rhai o blant fanno yn mynd i Ysgol Brynrefail.

Rhwng ysgol a gwaith a phopeth arall, dwi wedi treulio mwy o amser yng Nghaernarfon na nunlle arall – mwy na Rhosgadfan hyd yn oed – ac mae'r dre yn annwyl iawn i mi. Ysgol Segontiwm oedd ein hysgol newydd ni, ac roeddan ni'n mynd yno am ddwy flynedd cyn symud i fyny i'r ysgol uwch, sef Ysgol Syr Hugh Owen.

Roedd 'na deimlad o ofn ymhlith y plant oedd yn symud i'r ysgol fawr achos roedd y rhai hŷn wedi bod yn deud pob math o straeon wrthon ni am y lle. Roeddech chi'n cael dycings bob dydd, meddan nhw, sef hogia eraill yn dal eich pen i lawr y toiled a thynnu'r tshiaen – ac roedd hynny'n codi arswyd arnon ni! Roeddan nhw'n codi bwganod am yr athrawon hefyd, a be fyddan nhw'n wneud i ni petaen ni'n cambihafio.

Roeddan ni'n symud o ysgol fach wledig oedd â tua deugain o blant ynddi, efo wyth i ddeg ym mhob dosbarth, i ysgol fawr yn y dref efo deg ar hugain o blant ym mhob dosbarth. Roedd o'n agoriad llygad cael amserlen ar gyfer y gwersi hefyd, a gorfod dal bŷs i'r ysgol. Mi oedd rhai yn colli'r bŷs weithiau, ond ro'n i'n lwcus – petai hynny'n digwydd i mi, mi faswn i'n cael lifft efo Jeff, fy nghefnder, oedd yn gweithio yn Dre.

Un o'r newidiadau mwyaf sylfaenol oedd bod toiledau Ysgol Segontiwm tu mewn. Toiledau llechen a seti pren arnyn nhw oedd toiledau Ysgol Rhosgadfan, ac roedd rheiny tu allan, felly roedd hi'n gallu bod yn ddigon oer ac annymunol yno ar adegau! Roeddan ni hefyd yn cael iwnifform am y tro cyntaf – *blazer* lwyd, trowsus du a thei gwyrdd a melyn, ac roedd yn rhaid mynd i Gaernarfon i'w prynu nhw. Ro'n i'n teimlo fel pregethwr, yn gorfod gwisgo i fyny'n smart. Dilledyn arall angenrheidiol oedd y gôt *gaberdine*, ac mi oeddwn i'n teimlo reit chwithig yn gorfod gwisgo honno hefyd. Yr unig gysur oedd bod Dennis, fy nghefnder, yn yr ysgol yn barod, felly ro'n i'n teimlo y byddai 'na ryw warchodfa i mi taswn i'n ddigon anffodus i gael dycing.

Buan iawn y gwnes i sylweddoli nad oedd y pethau drwg 'ma'n digwydd bob dydd. Straeon plant oeddan nhw, a doedd y lle ddim mor ddrwg â hynny. Ro'n i wedi dechrau gwneud ffrindiau newydd erbyn hyn hefyd – efeilliaid o'r Glyn yng Nghaernarfon, John a David Williams, oedd y prif rai ar y dechrau. Mi oeddwn i'n medru deud y gwahaniaeth rhwng y ddau ond doedd pawb ddim, ac roeddan nhw'n achosi penbleth i'r athrawon ar brydiau, er nad ydw i'n eu cofio nhw'n defnyddio hynny i berwyl drwg, chwarae teg. Da o beth, achos mi ddewisodd y ddau ddilyn yr un yrfa ar ôl gadael yr ysgol – yn yr heddlu!

Bob amser cinio roedd 'na saith ar bob bwrdd, efo un monitor yn rhannu'r bwyd i bawb o rhyw duniau mawr metel, ac wrth gwrs efo system o'r fath, roedd rhai yn cael mwy na'u siâr! Rhai o'r ail flwyddyn oedd y monitoriaid, ac roedd y rheiny'n cael mwy na hogia bach fform wan! Ond erbyn i mi gyrraedd yr ail flwyddyn ro'n innau'n cael sbio i lawr ar y rhai oedd yn dod i'r ysgol am y tro cyntaf, ac yn cael rhannu'r bwyd.

Symud o Segontiwm i fyny i Ysgol Syr Hugh Owen oedd fy hanes i ar ôl yr ail flwyddyn, ac roedd yn rhaid cael iwnifform newydd eto. Jympyr las tywyll, crys glas neu wyn, a thei las tywyll a choch. Roedd o'n newid byd eto, ond erbyn hyn ro'n i yn y trydydd dosbarth ac yn teimlo'n hogyn mawr. Roeddan ni'n dechrau gwneud pynciau amrywiol a gwahanol rŵan hefyd, ac un o fy ffefrynnau oedd gwaith coed. Mi fues i'n cymryd diddordeb mawr yn hwnnw am sbel, ac yn ei fwynhau'n ofnadwy. Dwi'n cofio gwneud bwrdd bach a lamp a rhywbeth i ddal watsh! Mi oedd 'na wersi adeiladu hefyd, ac mi faswn i – a llawer o'r hogiau eraill dwi'n siŵr – wedi gwerthfawrogi cael gwersi coginio, ond doedd hogia ddim yn cael rheiny bryd hynny. Dwi'n falch 'mod i'n medru coginio'n iawn erbyn heddiw, ac yn mwynhau gwneud. Mi faswn i hefyd wedi gwerthfawrogi ychydig o wersi gwnïo, achos fedra i ddim gwnïo botwm hyd yn oed.

Fedra i ddim deud 'mod i wedi mwynhau Ysgol Syr Hugh gymaint â hynny – nid bod 'na ddim byd drwg wedi digwydd i mi, ond ar y cyfan wnes i ddim mwynhau fy addysg. Yn y bôn mae'n well gen i wneud pob dim drwy gyfrwng y Gymraeg; dwi'n hapusach ac yn fwy cyfforddus felly; ond mi oedd lot o'r addysg yn Ysgol Syr Hugh drwy gyfrwng y Saesneg. Dyna oedd iaith nifer o'r gwersi – daearyddiaeth, gwyddoniaeth, cerddoriaeth, hanes – bob dim bron. Ac yn achos yr olaf, nid hanes Cymru oeddan ni'n ei gael, wrth gwrs, ond hanes brenhinoedd Lloegr ac yn y blaen. Yr unig wersi oeddan ni'n gael drwy gyfrwng y Gymraeg oedd Cymraeg ac Ysgrythur. Y canlyniad oedd fy mod i'n casáu mynd i rai o'r gwersi, yn enwedig pynciau fel ffiseg a chemeg. Mae hynny'n eironig o ystyried 'mod i wedi treulio blynyddoedd yn gweithio efo cemegau, pan o'n i'n gorfod datblygu lluniau fy hun ar gyfer y papur. Ond eironig hefyd ydi bod y sefyllfa yn Syr Hugh yn y saithdegau yn hollol groes i'r broblem mewn llawer o'r ysgolion Cymraeg heddiw. Cymraeg ydi iaith y gwersi a Saesneg ydi iaith yr iard yn y llefydd hynny ac fel arall rownd yn hollol yr oedd hi yn Syr Hugh! Roedd lot o'r athrawon yn Gymry Cymraeg ond roedd 'na ganran dda oedd yn ddi-Gymraeg hefyd. Ella bod 'na fai ar yr ysgol neu'r Cyngor Sir, wn i ddim, ond dwi'n meddwl bod y sefyllfa, bryd hynny, wedi gwneud cam mawr â nifer o bobol yn Ysgol Syr Hugh. Nid chwilio am esgusodion ydw i yn fan hyn, ond yn fy marn i, mae plant heddiw'n cael gwell addysg trwy gyfrwng y Gymraeg nag a gawson ni erioed. Ro'n i'n hapusach yn Segontiwm na Syr Hugh, a'r diffyg Cymraeg 'ma oedd y broblem. Mae hynny eto'n eironig o gofio mai Caernarfon ydi tref Gymreiciaf Cymru i fod.

Mi wnes i sefyll arholiadau CSE ond doedd gen i ddim bwriad o aros yn yr ysgol ar ôl hynny. Y dyddiau yma mae plant yn mynd i'r ysgol i gael clywed canlyniadau'r arholiadau, ac mae'r prifathro yn rhoi amlen iddyn nhw efo'r wybodaeth dyngedfennol ynddi, ac mae 'na athrawon eraill o gwmpas yn cynghori ac yn y blaen. Ond yn fy nyddiau i, roeddech chi'n mynd i'r ysgol, ac ar wahân i'r plant, doedd 'na goblyn o neb ar gyfyl y lle. Ym mloc yr athrawon roedd rhestr o ganlyniadau pawb, a wyddoch chi lle'r oedd hi? Wedi cael ei sticio ar y ffenest (ar y tu mewn wrth gwrs) fel y gallech chi, ac unrhyw un arall oedd yn dymuno gwneud hynny, eu gweld! Roedd pawb yn gwybod be oedd canlyniadau pawb arall, weithiau cyn bod y person hwnnw neu honno'n gwybod ei hun, ac roedd hynny'n hollol anghywir.

Doedd gen i ddim syniad be oeddwn i isio'i wneud o ran gyrfa, er fy mod i wedi sôn am fynd yn actor, a hefyd wedi meddwl am fynd yn dynnwr lluniau. Ond yr adeg honno mi oedd hi'n haws mynd i mewn i waith nag ydi hi heddiw – roedd 'na ddwsinau ar ddwsinau o swyddi yn cael eu hysbysebu yn y papur bob wythnos ac roeddwn i wedi penderfynu ei bod hi'n hen bryd i mi fynd allan i weithio ac ennill cyflog.

4
Dechrau gweithio i'r Herald

'Argian, wyddwn i ddim bod llongau Stena'n hwylio o Gaerdydd,' medda Neil.

'Argian! Na finna chwaith. Ma' raid bo' ni yn y dociau felly,' cytunais, 'fyddan ni ddim yn hir rŵan.'

Ydw, dwi'n cofio'r sgwrs yna'n iawn. Fel prentis cysodydd y dechreuais i efo'r *Herald*, ac fel rhan o'r hyfforddiant ro'n i'n gorfod mynd i goleg yn Llandaf, Caerdydd. Roedd Neil Jones o Gaernarfon, a oedd wedi dechrau ychydig ar fy ôl i, ar y cwrs hefyd, ac yn teithio i lawr efo fi. Y drefn oedd ein bod ni'n aros yng Nghaerdydd yn ystod y tymor, ac yn dod yn ôl i Gaernarfon i weithio ar y papur pan oedd hi'n amser gwyliau.

O'r funud y dechreuais i weithio ac ennill cyflog, ro'n i'n sâl isio prynu car a dysgu dreifio, yn ysu i fod ar y lôn a bod yn annibynnol. Pan o'n i'n 16 oed roedd gan Dad Morris 1000, ac yn ddistaw bach, heb i Mam wybod, mi oedd o'n mynd â fi i fyny'r mynydd o'r tŷ, ac i ryw lôn ddistaw lle ro'n i'n cael dreifio'r car. Pen ges i fy mhen-blwydd yn 17, mi ges i drwydded i ddysgu dreifio'n swyddogol. Mae Dennis Pritchard, fy nghefnder, yn dysgu pobol i ddreifio erbyn hyn, a taswn i'n dysgu rŵan, efo fo faswn i wedi cael gwersi, mae'n debyg, ond mecanic oedd Den ar y pryd, felly efo George Davies o Lanrug y bûm i'n dysgu. Datsun coch oedd ganddo fo, a dwi'n meddwl mai £5 y wers o'n i'n dalu. Chwarae teg iddo fo, ar ôl dwy neu dair gwers dyma fo'n deud wrtha i: 'Gwranda, dwi ddim isio cymryd dy bres di, mi wyt ti'n medru dreifio'n iawn. Y cwbwl fedra i ddeud wrthat ti ydi gwna'n siŵr dy fod yn gwybod dy Highway Code, ac mi wnawn ni gais i chdi fynd am dy brawf. Mae 'na restr aros o chwech i wyth wythnos,' medda fo. 'Iawn,' medda fi, a dyna wnaethpwyd.

Ro'n i newydd gael fy mhen-blwydd yn 17 ym mis Gorffennaf, ac roedd hi bellach yn fis Awst, felly ro'n i'n disgwyl mai rhywle o gwmpas diwedd Hydref y baswn i'n mynd am fy mhrawf. Mi ddywedodd George wrtha i am ei ffonio fo i drefnu cwpwl o wersi ychwanegol cyn y dyddiad. Ond ymhen dim mi ges i lythyr yn deud bod 'na rywun wedi canslo a bod cyfle i mi fynd am fy mhrawf cyn diwedd Awst! Newydd ddechrau dysgu oeddwn i ... yn swyddogol, o leiaf. Ond roedd yn rhaid derbyn y dyddiad a mynd amdani. Trefnodd George wers dair awr i mi ar ddiwrnod y prawf ym Mangor, ac er mawr ryddhad a llawenydd, mi basiais. Doedd George erioed wedi gweld neb yn pasio'i brawf mor fuan ar ôl ei ben-blwydd yn 17, medda fo. Ro'n i'n rêl llanc wedyn, ac isio dreifio adra, ond roedd o'n bendant na chawn i ddim. A fo oedd yn iawn, ma' siŵr, achos ro'n i'n dal wedi cyffroi drwyddaf ar ôl y wefr o basio. Mi ddaeth o â fi yn ôl i Gaernarfon a daeth Dad i 'nghyfarfod i yno, ac mi ges i ddreifio o fanno – a lluchio'r 'L's i'r cefn.

Fedrwn i ddim disgwyl i gael car fy hun wedyn, felly mi drefnais i fynd i weld y rheolwr banc, a chael benthyg £250 i brynu Mini 850 bach llwyd. Yn fuan wedyn ro'n i'n gyrru i lawr i Gaerdydd am y tro cyntaf. Ro'n i wedi bod yno ddwywaith o'r blaen: unwaith ar y trên pan oeddan ni'n mynd ar ein gwyliau i Borth-cawl, ac yn y car efo Mam a Dad dro arall. Mi oedd teithio i dde Cymru fel mynd i wlad arall bron – doedd y ceir na'r lonydd ddim cystal â rhai heddiw, felly roedd Caerdydd yn goblyn o siwrnai ers talwm.

Dwi'n cofio codi Neil yn Dre, a llwytho'r car nes bod y bŵt bach a'r seti coch yn llawn i'r ymylon. Dwy ar bymtheg oed oeddwn i, ac ro'n i'n meddwl 'mod i'n gwybod y ffordd yn iawn, felly do'n i ddim wedi trafferthu sbio ar fap cyn cychwyn. A doedd 'na ddim ffasiwn beth â Twm Twm (*sat nav*) bryd hynny, felly dilyn fy nhrwyn wnes i bob cam. Mistêc rhif un.

Pan gyrhaeddon ni dafarn y Cross Foxes yr ochr draw i Ddolgellau, roedd 'na arwydd yn deud 'Aberystwyth' a dyma finnau'n meddwl: 'Aha ... Aberystwyth ... dydi fanno ddim yn bell o Gaerdydd. Ac i ffwrdd â ni a dilyn yr arwydd hwnnw. Mistêc rhif dau.

Dwi'n cofio mynd drwy Aberystwyth, Aberaeron ac Aberteifi, ac yn dal i feddwl ein bod ni ar y lôn iawn. Pan welson ni longau fferi Stena mewn porthladd prysur, dyma Neil yn troi ataf a deud y lein anfarwol honno, a finna'n cytuno efo fo bob gair. Mistêc rhif tri. Nid yn nociau Caerdydd oeddan ni, siŵr iawn, ond yn Abergwaun!

Do wir, mi gymerodd y siwrnai honno wyth neu naw awr i ni.

'Boy Wanted' oedd pennawd yr hysbys, a 'boy' gawson nhw – hogyn 16 oed, diniwed, o'r wlad. Roedd dyddiau'r dref fel 'prifddinas yr inc' wedi hen ddarfod, ac erbyn i mi adael Ysgol Syr Hugh Owen dim ond cwmni'r *Herald* oedd ar ôl o'r prif gyhoeddwyr papurau i bob pwrpas, ar wahân i un neu ddau o argraffdai llai. Ond roedd yr *Herald* yn dal yn ddylanwad mawr ar fywyd yr ardal, serch hynny, a chyn dyfodiad y we, roedd papurau newydd yn boblogaidd iawn.

Mae'n well i mi egluro yn fama mai cwmni bychan, annibynnol oedd Papurau'r *Herald* pan ddechreuais i efo nhw, ac roedd nifer fawr o gwmnïau tebyg ar hyd a lled y wlad yn cyhoeddi cannoedd o bapurau newydd bob wythnos. Mae'r *Herald* yn rhan o gwmni llawer iawn mwy erbyn hyn – Trinity Mirror, perchnogion y *Daily Post*, y *Western Mail*, y *Daily Mirror* a degau o deitlau eraill ar hyd a lled y wlad.

Roedd 'na nifer o bapurau yn rhan o stabl yr *Herald* pan ddechreuais i. Roedd gynnoch chi ddau bapur Cymraeg – *Yr Herald Cymraeg* a *Herald Môn*; ac wedyn yn Saesneg roedd yr *Holyhead & Anglesey Mail*, a dau rifyn o'r *Caernarfon & Denbigh Herald* – neu'r *C'narfon-Dembi* fel maen nhw'n ddeud ar lafar yn y rhan yma o'r wlad. Mae'r teitl yn cyfeirio at gyfnod cynnar y papur pan oedd o'n gwasanaethu Dinbych yn ogystal â Chaernarfon. Dwi ddim yn siŵr am ba hyd y parodd y trefniant hwnnw, ond yn bendant, erbyn i mi ymuno â'r staff, cylch Caernarfon oedd prif ardal y papur. Roedd 'na rifyn o'r *C'narfon-Dembi* ar gyfer Llŷn ac Eifionydd hefyd, ond yn fy nyddiau cynnar i ar y staff, doedd o ddim yn gwerthu cymaint â hynny. Caernarfon oedd ei ganolbwynt ym mhob ystyr, a'r *C'narfon-Dembi* oedd yn gwerthu fwyaf o holl bapurau'r cwmni, o ddigon hefyd. Mi ddaeth y *Bangor & Anglesey Weekly News* allan am y tro cyntaf yn 1984, fel papur am ddim. Roedd y cwmni wedi cael ei brynu gan grŵp y *North Wales Weekly News* yng Nghyffordd Llandudno erbyn hynny, yn sgil y tân a ddinistriodd swyddfeydd yr *Herald* ar y Maes ar 12 Ionawr 1984. Bu i'r tân chwarae rhan ganolog yn hanes y papur – a fy hanes innau hefyd, tasa hi'n dod i hynny.

Fel y soniais, ro'n i wedi dechrau gweithio efo cwmni arwerthwyr Bob Parry ar ôl gadael yr ysgol, ond yn y cyfamser mi ddaeth y joban 'ma i fyny efo'r *Herald*, ac roedd hon yn apelio mwy i mi fel rhywbeth tymor hir. Roedd 'na gymaint o waith o gwmpas, bryd hynny, nes bod rhywun yn medru mynd o un swydd i'r llall yn rhwydd iawn. Mi ges i gyfweliad, a'r hyn dwi'n gofio am y diwrnod hwnnw ydi mynd i'r dderbynfa (a chofiwch mai 1975 oedd hi erbyn hyn, gwta chwe blynedd ers yr Arwisgo) a sylwi fod tu mewn yr adeilad wedi ei beintio yn yr un lliwiau â'r tu allan – rhyw liwiau glas tywyll a phiws digon hyll a deud y gwir. Roedd Swyddfa'r *Herald* ar y Maes, reit yng nghanol y dref ac yn agos iawn at y Castell, lle cynhaliwyd yr Arwisgo, wrth gwrs, ac roedd pob un o'r adeiladau cyfagos wedi cael grant i beintio a sbriwsio ar gyfer y diwrnod mawr. Wel, yn achos yr *Herald*, mae'n rhaid bod 'na lot o baent glas a phiws dros ben ar ôl gwneud y tu allan. Fasa 'na neb yn dewis peintio'r tu mewn yn y lliwiau cyfoglyd rheiny, does bosib?

Beth bynnag, yn ôl at y dderbynfa. Cownter pren oedd yno, efo ffenest fechan ynddo fo oedd yn sleidio er mwyn i chi siarad efo pwy bynnag oedd ar yr ochr arall, a drws yn y lliw piws tywyll afiach 'ma. Y tu ôl i hwnnw roedd 'na goridorau efo lloriau pren, trwm a thywyll, yn arwain i wahanol lefydd, ac ar yr ochr roedd drws arall. Pan agorwyd hwnnw i mi fynd drwyddo ar gyfer y cyfweliad, mi ges i dipyn o sioc a deud y gwir. Mi o'n i'n meddwl 'mod i'n mynd drwodd i'r cefn, ond ar ôl mynd i lawr rhyw goridor tywyll arall mi ddaethon ni at ddrws ar yr ochr, a phan agorwyd hwnnw, be welais i ond grisiau, a'r rheiny'n mynd i lawr ac i lawr ac i lawr yn ddwfn i berfeddion yr adeilad. Doedd gen i ddim syniad lle ro'n i'n mynd – ond mynd i lawr i'r stafell brintio o'n i, wrth gwrs. O edrych arno o'r Maes roedd o'n edrych fel adeilad tri llawr, ond roedd dau lawr arall yn is na lefel y Maes. Roedd y dderbynfa ar yr un lefel â'r Maes, ond roedd y gwaith argraffu ac ati ar yr un lefel â Stryd Santes Helen, sydd ar yr un lefel â'r Cei Llechi yn y cefn.

Yr hyn a'm tarodd yn syth pan es i mewn i'r stafell gysodi – neu'r 'Comp Rŵm' fel y'i gelwid hi – oedd y gwahanol arogleuon. Arogl inc a phapur yn bennaf, a dwi'n dal i fedru arogli hwnnw rŵan wrth feddwl yn ôl. Ac arogl smocio. Mae'n anhygoel meddwl am y fath beth heddiw, ond roedd pobol yn cael perffaith ryddid i smocio wrth eu gwaith ers talwm, dim ots eu bod nhw'n gweithio mewn hen adeilad efo lloriau pren, sych, a dim ots bod 'na lwythi o inc a phapur lond y lle – tanwydd ardderchog, wrth gwrs. Mae llawer o bobol yn meddwl mai dyna'r prif reswm dros y tân yn 1984, ond mi ddown ni at y stori honno yn nes ymlaen.

Perchennog y cwmni, John Morris Jones, oedd yn rhoi'r cyfweliad i mi, a William Edwards, rheolwr yr adran brintio – ond byrdwn y cyfweliad oedd holi oeddwn i'n medru siarad a darllen Cymraeg a Saesneg, a be oedd fy nghefndir i ac ati! Ymhen rhyw ddiwrnod neu ddau mi ges i lythyr yn deud fy mod wedi cael y swydd.

Doedd y lle ddim wedi newid ers blynyddoedd maith, ac roedd 'na reswm da dros hynny – doedd 'na ddim newidiadau mawr wedi bod yn y ffordd yr oedd papurau'n cael eu cynhyrchu. Mi fu rhai newidiadau ar yr ochr argraffu, ella, ond ar y cyfan roedd y peiriannau argraffu a chysodi – yr hen beiriannau Linotype er enghraifft – wedi bod yno ers degawdau lawer. Roedd teipiaduron wedi gwella ers y dyddiau cynnar, ond ar wahân i hynny fu 'na fawr o newid. Roedd rhai o'r staff hefyd wedi bod yno ers blynyddoedd maith, ac mae'n siŵr bod eu tadau a'u teidiau nhw wedi bod yno o'u blaenau; wedi'r cwbl, mi gafodd y *Caernarfon & Denbigh* ei sefydlu yn 1831. Yn 1855 y sefydlwyd papur Cymraeg cynta'r cwmni, *Yr Herald Cymraeg*, sy'n fy synnu i braidd mewn ardal mor Gymreigaidd. Ond beryg mai'r un hen stori oedd hi – meddwl mai dim ond trwy'r Saesneg yr oedd dod ymlaen yn y byd. Ella eu bod nhw wedi gweld y goleuni erbyn 1855, dwn i ddim. Ond dwi'n crwydro rŵan ...

Pan ddechreuais i yn brentis cysodydd, roedd y ffordd yr oedd papurau'n cael eu cynhyrchu yn union yr un fath ag yr oedd o ddeugain os nad hanner can mlynedd ynghynt, ac fel y dywedais i, roedd y peiriannau'n hŷn na hynny hyd yn oed. Roedd angen prentisiaeth pedair blynedd i ddysgu swydd cysodydd yn iawn, yn cynnwys tair blynedd yn mynd a dod rhwng coleg a gwaith. Dwi'n cofio Mam a Dad yn pwysleisio ei bod hi'n swydd am oes, ac yn fy achos i, mi oeddan nhw'n llygad eu lle. Ond does 'na ddim ffasiwn beth â swydd am oes heddiw, a taswn i heb newid cyfeiriad i fod yn ffotograffydd yn hytrach na chysodydd, mae'n bosib iawn – neu'n debygol hyd yn oed – y baswn innau wedi gorfod gadael y cwmni ers blynyddoedd, fel y digwyddodd i'r holl staff oedd yn gweithio ar yr ochr argraffu, wrth i'r gwaith hwnnw gael ei wneud yn bellach ac ymhellach o Gaernarfon. Mynd am y swydd cysodydd wnes i am nad oedd fawr ddim byd arall yn mynd â 'mryd i ar y pryd. Ond ar ôl ychydig wythnosau yn y gwaith, mi wnes i gymryd at y swydd o ddifri, ac ro'n i'n hapus braf yno gan weld dyfodol i mi fy hun o ran gyrfa.

Yn rhyfedd, am ddau o'r gloch ar brynhawn dydd Mercher y dechreuais i yn y swydd. Mi es i i lawr i'r Dre ar y bỳs un o'r gloch o Rosgadfan, a hwnnw'n cyrraedd y Maes tua hanner awr wedi, mae'n siŵr. Hogyn un ar bymtheg oed o'n i, yn dechrau swydd newydd, a chan 'mod i'n teimlo mymryn bach o ofn, ro'n i wedi bwriadu mynd am dro rownd Dre i fagu dipyn bach o hyder cyn mynd i mewn – ond fel ro'n i'n dod oddi ar y bỳs, daeth hogyn ifanc gwallt melyn ata i a gofyn:

'Chdi 'di Arwyn, ia?'

'Ia,' medda fi.

'Chdi sy'n dechra efo ni heddiw?'

'Ia,' medda fi wedyn, gan holi pwy oedd o.

'Emrys Lloyd Jones ydw i, o Lanberis.'

Prentis oedd yntau, erbyn deall, ac mi ydan ni'n ffrindiau da hyd heddiw. Mi aeth o â fi i'r gwaith hanner awr ynghynt nag yr oeddwn i wedi'i fwriadu, ac ar ôl i mi gael fy nghyflwyno i bawb, sylweddolais nad oedd yn rhaid i mi fod wedi poeni.

Dwi'n cofio pawb oedd yno'r diwrnod cyntaf hwnnw. Roedd y diweddar Wil Jones yn gweithio ar y peiriant oedd yn trin y lluniau, ac fel yr aeth y blynyddoedd heibio, mi dreuliais lot o amser yn ei gwmni o. Roedd y lluniau'n dod i lawr o'r adran olygyddol, a fo oedd yn eu sganio nhw ar ryw beiriant arbennig, ymhell cyn dyddiau sganiwr digidol. Doedd 'na ddim ffenest yn y stafell gysodi o gwbwl, ar wahân i ffenest yn y to oedd yn taflu golau dydd i lawr o'r Maes, a doedd honno ddim yn agor. Fanno oedd Dafydd Charles Evans o Gaernarfon, Bobby Wood a Clifford Thomas o Drefor (oedd yn brentis arall) a Celyth Hughes yn gweithio, ac fel dau biler cyn mynd drwodd i'r stafell nesaf roedd Glyn Parry ar un ochr a Glyn Jones, neu Glyn Bont, ar yr ochr arall. Mi fu gwraig Glyn – cyn-athrawes o'r enw Gaynor – yn gweithio yn yr adran olygyddol acw am flynyddoedd wedyn hefyd.

Drwodd yn y stafell arall ar y peiriant cysodi roedd Willie Vaughan Jones o Gaernarfon, Alun Wyn Griffith o Lanrug ac Alun Parry o Gaernarfon, a'i fab, Glyn Parry. Roedd Ieuan Jones o Fethel a Dafydd Williams, Fred Evans ac Ian Jones o Gaernarfon hefyd yn cysodi. Yn fama hefyd yr oedd Emrys, y prentis arall ddaeth i 'nghyfarfod i oddi ar y bŷs, ac Aled Thomas o Garmel. Ia, dyna'r criw bach oedd yno pan ddechreuais i.

Yn y stafell waelod wedyn, lle'r oeddan nhw'n troi'r papur (hynny ydi, ei argraffu o) roedd 'na griw arall eto. Ymhlith y rhain yr oedd Ivor Parry, oedd yn enwog yn ei ddydd fel Rovi y consuriwr, Gwil Bach (Gwil Williams) o Lanrug, Wil John o Gaernarfon a John Pritchard Jones a'i fab, Emlyn, o Benygroes.

Roeddan ni'n gweithio efo plwm poeth (*hot metal*) yn y dyddiau hynny. Roedd hi'n broses reit hir a chymhleth, yn enwedig o'i chymharu â heddiw, ond yn fras roedd bysellfwrdd arbennig ar y peiriant Linotype, a byddai'r cysodydd yn dewis y llythrennau ar gyfer y darn yr oedd o'n ei osod, gan weithio ar y dudalen ffordd chwith, fel drych o'r dudalen orffenedig, fel petai. Wedyn roedd plwm poeth yn cael ei dywallt ar y llythrennau er mwyn creu mowld ar gyfer y broses argraffu. Roedd y tudalennau'n cael eu gosod allan a'u cloi mewn ffrâm fetel, wedyn roeddan ni'n mynd â phroflen o'r dudalen i'r golygydd i roi sêl ei fendith arni. Roedd honno'n mynd wedyn drwy rolar anferthol, efo pwysau ofnadwy arno fo, ac efo papur sugno tew fel *blotting paper* arno fo. Ar ôl hynny roedd y papur hwnnw yn mynd i lawr grisiau i gael ei gastio, a hwnnw fyddai'r cast ar gyfer printio'r dudalen arbennig honno. Roedd chwech o weithwyr yn y stafell fawr yn gweithio efo plwm poeth, felly gallwch ddychmygu ei bod hi'n boeth iawn yno. Yn y stafell arall roedd 'na bedwar arall yn gwneud yr un fath. Roedd o'n lle clyd a chynnes yn y gaeaf, ond yn gallu bod yn annioddefol yn yr haf.

Oherwydd hynny, a'r ffaith bod 'na bapur ym mhobman iddyn nhw ei fwyta, roedd 'na lygod galôr yno. Doedd fiw i neb adael bwyd o gwmpas dros nos. Dim ond unwaith y gwelais i fwy o lygod nag a oedd yn adeilad yr *Herald*. Bob amser cinio roeddan ni'n mynd allan am awyr iach ac am dro bach o gwmpas y Maes neu o amgylch y siopau. Roedd 'na garej yn safle siop Boots ar Stryd Llyn ers talwm – Central Garage. Pan brynodd Boots y safle mi dynnon nhw'r lle i lawr er mwyn adeiladu eu siop newydd yno. Pan oeddan ni'n pasio un diwrnod roeddan nhw'n cnocio'r waliau i lawr efo craen mawr fel bod popeth yn disgyn i mewn i'r adeilad. Beth bynnag, dyma'r craen yn rhoi anferth o glec i ffrynt yr adeilad, a'r peth nesa welson ni oedd dwsinau o lygod mawr yn dod allan ac yn rhedeg i lawr y stryd nes bod pobol yn sgrechian ym mhob man.

Roedd o'n reit ddoniol a deud y gwir, oherwydd roedd pob un ohonan ni'n synnu bod gan unrhyw le fwy o lygod na'r *Herald*!

Mi oedd 'na lwyth o dynnu coes yn mynd ymlaen, fel y basach chi'n ddisgwyl, ac roedd yn rhaid i rywun ddysgu sut i gymryd jôc yn sydyn iawn yno. Roedd angen gwlychu'r papur sugno a ddefnyddid yn un rhan o'r broses argraffu, ac mi ges i fy ngorchymyn un diwrnod i nôl bwcedaid o ddŵr ar gyfer hynny.

'Iawn, ond i lle ga i ddŵr?' holais yn ddiniwed i gyd.

'O, o'r Cei, siŵr iawn,' meddan nhw.

Felly mi gychwynnais i, efo fy mwced yn ddel, i lawr i'r Cei yng nghefn y swyddfa ... heb ystyried bod 'na dap dŵr yn y stafell argraffu!

Goruchwyliwr, neu Swpyrfeisyr, oedd Rovi yn yr argraffdy ond roedd o'n un o'r rhai gwaethaf am dynnu coes. Yn ystod amser cinio yn yr haf mi fyddai pawb ohonan ni'n eistedd tu allan i Swyddfa'r Post ar y Maes er mwyn edrych ar y byd yn mynd heibio. Unwaith y gwelai Ivor ymwelwyr yn agosáu mi fyddai'n mynd atyn nhw'n syth i dynnu arnyn nhw efo rhywbeth fel: 'Scuse me, I'm a visitor here. Where's the Castle?' a hwnnw i'w weld yn blaen wrth gwrs! Roedd o wrth ei fodd yn gofyn rhyw gwestiynau gwirion fel'na iddyn nhw er mwyn gweld eu hymateb. Mi oedd o'n dangos ei driciau cardiau iddyn nhw wedyn – roedd o'n wych am wneud rheiny. Roedd o'n aelod o'r *Magic Circle*, ac yn ymddangos ar y teledu o bryd i'w gilydd, ac mi deithiodd i bedwar ban byd yn perfformio yn ddiweddarach.

Wna i byth anghofio un tric chwaraeodd o ar un o'r hogia un diwrnod. Roedd hwnnw wedi prynu bag o orenjis, a gafaelodd Ivor yn y bag a deud:

'Ti isio gweld tric?'

'Oes,' meddai hwnnw'n eiddgar.

A dyma Ivor yn nôl morthwyl pren a cholbio'r bag orenjis nes roeddan nhw'n slwj ar y bwrdd. Wedyn dyma fo'n cerdded o'na, a phawb yn disgwyl er mwyn gweld beth oedd am ddigwydd – ond y cwbl wnaeth o oedd deud:

'Sori, dwi 'di anghofio sut i wneud y tric!'

Ond mi oedd ganddo fo'r ddawn brin honno o fedru tynnu coes heb i neb gymryd yn ei erbyn o. Chwerthin fyddai pawb, yn ddi-ffael. Yn yr haf, mi fyddai drysau mawr y stafell waelod, lle'r oedd y peiriannau argraffu, ar agor, ac mi fyddai pobol yn dod yno i weld y papur yn troi. Wrth gwrs, roedd Ivor yn ei elfen yn dangos triciau iddyn nhw ar adegau felly.

Mae 'na ddau ddiwrnod o'r cyfnod hwnnw wedi aros ar fy nghof am wahanol resymau. Un oedd 16 Awst 1977, a'r rheswm oedd marwolaeth Elvis – nid bod hynny wedi cael mensh yn y papur, cofiwch (wel, dwi'm yn meddwl iddo gael, beth bynnag) ond dwi'n cofio pawb yn sôn am y peth yn y comp rŵm.

Dro arall roeddan ni wedi gorffen *Yr Herald Cymraeg* ar bnawn dydd Iau, fel yr oedd y drefn, neu'r rhan fwyaf ohono fo, gan adael dim ond chydig i'w wneud ar y bore dydd Gwener, fel bod y papur yn y siopau yn y pnawn. Ond y nos Iau honno aeth Capel Moreia, Caernarfon, ar dân, ac mi gafodd y rhan fwyaf o'r adeilad ei ddinistrio. Roedd hynny'n golygu bod rhaid newid y papur i gyd y bore wedyn, ac roeddan ni'n hwyr yn gorffen. Chydig a wyddwn i ar y pryd, ond hwnnw oedd y cyntaf mewn cyfres o danau mawr yng Nghaernarfon dros gyfnod o tua 20 mlynedd, yn cynnwys tân *Yr Herald*, wrth gwrs.

Roedd o'n lle braf iawn i weithio, ond mi fydda i'n meddwl yn aml y gallech chi rannu hanes y papur yn ddau gyfnod – Cyn y Tân ac Ar ôl y Tân. Mi ddylanwadodd y digwyddiad hwnnw yn drwm ar hanes y papur, ac ar ein hanes ninnau fel staff. Wrth edrych yn ôl ar y cyfnod rhwng dechrau gweithio i'r *Herald* â'r tân, dwi'n meddwl am gyfnod hen ffasiwn braf. Ar ôl hynny mi ddaeth 'na newidiadau mawr yn gyson – newidiadau o ran perchnogaeth a newidiadau anferthol o ran technoleg. Rhyw flwyddyn cyn y tân yn 1984 y daeth y cyfrifiadur cyntaf i'r *Herald,* er enghraifft, a dim ond y perchennog gafodd un bryd hynny. Mi fydda i'n meddwl weithiau tybed be fasa wedi digwydd petai'r tân heb ddigwydd. Faint o newid fyddai wedi digwydd i'r lle, a pha mor gyflym fyddai pethau wedi symud ymlaen? Pwy a ŵyr.

Yn y stafell newyddion roedd 'na fwy o fynd a dod ymhlith staff. Dwi wedi gweithio efo dwsinau o newyddiadurwyr dros y blynyddoedd, ond y rhai dwi'n gofio fwyaf o'r cyfnod cynnar ydi R. E. Jones o Garmel ac Evie Jones o Gaernarfon – is-olygyddion neu 'sybs', y naill ar y papurau Cymraeg a'r llall ar yr ochr Saesneg. Roedd y ddau mewn siwt a chrys a thei bob amser, ond yr hyn dwi'n gofio fwyaf am Evie ydi ei fod o'n gwisgo menig heb fysedd, ac yn smociwr trwm. Y gohebwyr oedd Elfed Roberts, Prif Weithredwr yr Eisteddfod Genedlaethol ers nifer o flynyddoedd, wrth gwrs; Jeff Eames, a fu'n ohebydd, is-olygydd ac yna'n olygydd y grŵp yn y nawdegau tan iddo ymddeol yn 2010; Victor Wynne Williams, gohebydd a aeth ymlaen i weithio efo Cadw Cymru'n Daclus, ac a oedd i'w glywed yn aml yn llefarydd iddyn nhw ar y radio; Catrin Siôn, merch y perchennog John Moi, a oedd yn ohebydd ac a aeth yn ei blaen i weithio efo'r BBC ym Mangor; John Higgins o Fangor, is-olygydd oedd wedi gweithio ar bapurau Fleet Street yn ei ddydd, ac a oedd yn un o sylfaenwyr Clwb Tan-y-Bont yng Nghaernarfon – clwb Cymreig poblogaidd gydag adloniant Cymraeg rheolaidd yn y saithdegau a'r wythdegau. Un arall a fu'n gweithio acw yn fy nyddiau cynnar i oedd Glyn Evans. O'r *Cymro* y daeth Glyn yn is-olygydd ar yr ochr Gymraeg, ac mi fu acw am ryw ddwy neu dair blynedd. Mi aeth yn ôl at *Y Cymro* maes o law yn olygydd poblogaidd iawn. Ro'n i'n dod ar draws Glyn bob blwyddyn yn yr Eisteddfod Genedlaethol, hyd at ei farwolaeth ddisymwth yn 2014.

Un arall y mae'n rhaid i mi sôn amdani ydi Liz Carter, a oedd yn ohebydd brwdfrydig a chydig yn ecsentrig. Roedd Liz yn gymeriad a hanner. O Bontnewydd yr oedd hi'n dod yn wreiddiol ond roedd ei thad, Major Carter, yn gyn-swyddog yn y Fyddin ac felly roedd Liz wedi cael ei haddysg i ffwrdd yn Lloegr. Roedd hi'n *debutante* hefyd, ond roedd yn llawer gwell ganddi fod adra'n ffarmio, allan ynghanol y mwd a'r baw gwartheg efo'r cŵn a'r ceffylau, ac fel gohebydd amaeth y dechreuodd hi acw.

Yn y stafell gefn roedd yr enwog John Eilian, y golygydd. John Tudor Jones oedd ei enw iawn, ac roedd o'n gymeriad a hanner – un o gymeriadau mwyaf lliwgar y cyfnod. Ar y naill law roedd yn Dori rhonc a dderbyniodd yr OBE yn 1972, ac yn Frenhinwr mawr; ac ar y llaw arall roedd o'n Gymro diwylliedig a enillodd Gadair yr Eisteddfod Genedlaethol ym Mae Colwyn 1947 a'r Goron yn Nolgellau yn 1949.

Doeddwn i ddim yn gweithio ar yr *Herald* yn 1969, adeg yr Arwisgo, ond dwi'n cofio'r dengmlwyddiant yn 1979 pan drefnwyd cyngerdd mawr yn y Castell efo pobol fel Max Boyce ac eraill yn cymryd rhan ynddo. Dwi'n cofio'r Maes yn llawn o bobol a phlant ysgol i ddathlu'r achlysur. Ond fu 'na ddim dathliadau tebyg wedyn, ac mi fydd yn ddiddorol gweld os caiff rhywbeth ei drefnu yn 2019 i ddathlu'r hanner can mlwyddiant. Yn 1979, roedd yr hen drefn yn dal fwy neu lai fel ag yr oedd hi yn 1969. Roedd Cymru fwy neu lai yr un fath – ond mae pethau wedi newid yn sylweddol ers hynny efo dyfodiad y Cynulliad. Mae 'na nifer o bobol Caernarfon sy'n dal yn weddol deyrngar i'r teulu brenhinol, ond ddim i'r un graddau ag yr oeddan nhw yn 1969 a 1979.

Doeddwn i ddim yn gweithio i'r *Herald* pan enillodd Dafydd Wigley sedd Caernarfon yn 1974 chwaith, ond dwi'n cofio'r Etholiad Cyffredinol ym mis Mai 1979 pan oedd baneri Wigley ym mhob man ar draws ward Peblig. Ond pan ddaeth hi'n amser dathlu dengmlwyddiant yr Arwisgo ddeufis yn ddiweddarach, roedd Jac yr Undeb i fyny ym mhob man a phartïon ar y stryd ac ati. Yn y cyfnod hwnnw mi oedd y dref yn dal ei gafael yn dynn yn y cysylltiad brenhinol yma – yn defnyddio'r teitl 'Tref Frenhinol', ac roedd y Cyngor Tref yn galw ei hun yn 'Royal Town Council'.

Un o Laneilian, Môn, oedd John Eilian yn wreiddiol, fel mae ei enw barddol yn awgrymu, ac mi safodd yn ymgeisydd seneddol i'r Ceidwadwyr ar yr ynys yn Etholiadau Cyffredinol 1964, 1966 a 1970. Dwi'n ei gofio fo'n cael ffrae efo John Moi, y perchennog, ryw dro am ei fod isio cyhoeddi maniffesto'r Torïaid yn y papur. Roedd John Moi yn gorchymyn iddo ei dynnu allan, ond y munud yr oedd o wedi troi ei gefn, rhoddodd John Eilian o'n ôl i mewn. Mi oeddan nhw fel ci a chath!

Dwi'n cofio fod ganddo ddwylo mawr, mawr (mae'n rhyfedd fod hynny'n un o'r pethau dwi'n gofio amdano fo) ac mi o'n i'n hoff iawn o wrando ar ei straeon o. Roedd o'n ddyn galluog iawn yn ei faes – dwi'n ei gofio fo fel dyn oedd yn gwybod ei stwff. Mi wyddai yn union be oedd yn y papur o'r dudalen flaen i'r dudalen gefn, ond wrth gwrs roedd ganddo flynyddoedd o brofiad. Roedd o wedi gweithio efo llu o bapurau newydd yn cynnwys y *Western Mail* a'r *Daily Mail* a bu'n bennaeth rhaglenni'r BBC yng Nghymru. Fo oedd golygydd cyntaf *Y Cymro* hefyd. Os oedd angen tynnu paragraff allan o ryw stori er mwyn gwneud iddi ffitio, doedd o ddim yn gorfod darllen a phendroni drosti, roedd o'n gwybod yn syth.

Dwi'n cofio mynd ato fo unwaith i ddeud bod rhyw lun yn rhy fawr ar gyfer y lle oedd wedi'i glustnodi ar ei gyfer. A'i ateb oedd: 'Machgen i, torrwch eu coesau nhw, mae pawb yn gwybod be 'di coesau, tydi?' Welais i rioed mohono fo'n gas, nac yn codi ei lais am ddim byd. Er bod lot o bobol yn dod i'r swyddfa i gega arno fo am rywbeth neu'i gilydd, doedd o byth yn colli ei dymer. Roedd o'n cŵl braf bob amser. Mi fyddai 'na lythyrau twrna'n dod acw byth a beunydd, ac un o ddyletswyddau'r prentis diweddaraf (pwy bynnag fyddai hwnnw) oedd dosbarthu'r post i'r gwahanol adrannau yn y swyddfa. Dwi'n cofio mynd â llythyrau'r golygydd ato fo, a deud wrth John Eilian bod 'na lythyrau twrna yn eu mysg. A'i ymateb oedd:

'Ffeiliwch nhw 'machgen i, ffeiliwch nhw.'

'Iawn,' medda fi, 'ond yn lle?'

'Yn y bin!' medda fo, ac i fanno yr aethon nhw! Mae'n siŵr bod hynny'n digwydd yn aml, ond ychwanegodd wedyn, yn ei ddull hamddenol arferol:

'Peidiwch â phoeni, 'machgen i, mi gawn ni rai eraill yfory!'

Ar brynhawn dydd Gwener mi fyddai'n dianc o'r swyddfa. Yn y Felinheli yr oedd o'n byw, ond nid mynd adra'n gynnar fydda fo. A deud y gwir, doedd dim rhaid i neb chwilio'n bell iawn amdano fo. Byddai'n mynd am 'wisgi bach,' a'r Castle oedd ei hoff le fel arfer, drws nesa ond un i'r *Herald* ar y Maes. Roeddan ni i fod i orffen yn gynnar un noswyl Nadolig, ond roeddan ni'n gorfod disgwyl iddo fo ddod yn ôl a rhoi sêl bendith i ni cyn y caen ni fynd adra, felly doedd o ddim yn boblogaidd iawn y diwrnod hwnnw. Ond fel arall, roedd gan bawb o'r staff barch mawr tuag ato fo. Ar rai adegau, fydda fo ddim yn cofio lle'r oedd o wedi parcio'i gar! Vauxhall mawr brown oedd ganddo fo os cofia i'n iawn, ac roedd hwnnw'n dolciau byw.

Mi fues i'n ei weld o yn yr ysbyty ychydig cyn iddo farw, a'i gael yn eistedd yn ei wely yn canu emynau. Mi fu farw yn 1985.

Alun Ffred Jones

Mae mwy nag un Arwyn. Yr un mwyaf cyffredin ydi'r dyn byr, sgwâr, sy'n sefyll o 'mlaen i a chamera yn ei law, yn tynnu llun ohona i a phobol eraill. Mae o'n gweithio'n sydyn yn trefnu'r llun – ac yn trio perswadio rhai nad oes angen iddyn nhw fod yn y llun! 'Ti'm isio gormod o bobol mewn llun, sti.' Dydi o ddim yn gwastraffu amser achos mae o ar ei ffordd i rywle arall, ar ei ffordd i lot o lefydd eraill ... 'Ty'd di 'mlaen chydig, tro di fymryn, chdi yn y cefn – cam bach i'r dde. Gwenwch. Ac eto. Diolch.'

Wedyn, mae'r Arwyn sy'n sibrwd yn fy nghlust cyn tynnu'r llun. 'Ti 'di clywed am hwn a hwn?' neu'n waeth byth, yn siarad, heb agor ei geg bron, dan 'i wynt: 'Cadwa fo i chdi dy hun, ond newyddion drwg ...' Mae o fel pôl piniwn un dyn.

Yna, dyna i chi Arwyn y Steddfod, y Sioe a'r gêm rygbi sy'n aml mewn trowsus byr, lliwgar, ac yn wên o glust i glust – heb neu efo'i gamera.

Ond mae 'na un Arwyn ddaru newid fy mywyd. Hwnnw 'di'r un alwodd i 'ngweld i ynghanol y nawdegau yn rhinwedd ei swydd fel ysgrifenydd Clwb Pêl-droed enwog Nantlle Vale. Roedd angen cadeirydd ar y clwb, a llwyddodd Arwyn i 'mherswadio nad oedd angen gwneud dim ond cadeirio'r cyfarfodydd a chadw'r ddysgl yn wastad. Yn ddi-os, roedd o'n ysgrifennydd effeithiol a brwd. Gwaetha'r modd, mi aeth o ymlaen i bethau uwch fel dod yn aelod o'r Orsedd. Dwi'n dal yn y Vale. Ugain mlynedd o lafur caled. Diolch, gyfaill. A llongyfarchiadau!

5

Rownd y Maes ... a theithiau eraill

Un o fy nhasgau cyntaf fel prentis oedd mynd â llond bocs o broflenni i Emrys Lewis a Jac Jones, y darllenwyr proflenni. Straeon a darnau o newyddion lleol oedd y rhain, oedd newydd gael eu gosod ar y peiriannau Linotype. Ar ôl iddyn nhw gael eu darllen, roedd y cysodydd yn gorfod eu cywiro nhw ar y peiriant. Ond y job gyntaf un i unrhyw brentis oedd gwneud paned foreol i'r criw, ac i wneud hyn, roedd rhaid gwneud yn saff bod y *geyser* anferthol oedd ganddon ni yn y stafell yn llawn. Yn ogystal, ro'n i, fel pob prentis arall, yn cael fy anfon allan i nôl unrhyw beth o'r siopau i'r hogia. Mi fyddai Jac Jones yn cael brechdan cyw iâr bob bore o gaffi Eidalaidd y Continental yn Stryd Llyn, ac roedd nôl honno'n un o'r tasgau beunyddiol. Byddai Wil Jones, a oedd yn gofalu am unrhyw luniau oedd ar y tudalennau, yn fy ngyrru i allan i nôl paced o sigârs Hamlet iddo fo. Roeddan ni'n bwyta ar fwrdd yng nghornel y stafell gysodi, ac oherwydd natur y gwaith doedd neb yn glanhau'r lle yn drylwyr iawn, felly roeddan ni'n bwyta a chael ein paneidiau yng nghanol y llwch, y papur a'r inc.

Lloriau pren oedd drwy'r lle i gyd, fwy na heb, ond ar ganol llawr y stafell argraffu oedd yn wynebu'r cei, roedd plât dur. Ar hwnnw roeddan ni'n symud troli mawr o un bwrdd i'r llall. Roedd hwn yn cynnwys blociau o deip wedi eu gosod allan ar ffurf tudalennau, felly roedd 'na bwysau anhygoel arno. Mi fasa'r olwynion wedi malu'r llawr pren mewn dim, felly dyna pam yr oedd y plât yno.

Ar ôl i mi ddechrau, mi ddaeth wynebau newydd i weithio yno – Mel Griffith o Bontnewydd, Richard Birkett o Benygroes, Stephen Thomas o Lanberis (sydd bellach yn blisman), Eifion Evans, Aled Hughes o Bontnewydd sy'n tiwnio pianos erbyn hyn, a Dafydd Evans o'r Felinheli, neu Dafydd Bach fel y cafodd o'i fedyddio am bod gynnon ni Dafydd Fawr – sef Dafydd Morris Williams o Gaernarfon – yno'n barod. Mi fu Dafydd Bach yn gweithio i'r cwmni yng Nghyffordd Llandudno am flynyddoedd wedyn, ac mae o'n gweithio i gwmni teledu Cwmni Da erbyn hyn.

Dyna i chi rai o 'nghydweithwyr o'r dyddiau cynnar, a dwi'n gobeithio y ca' i faddeuant os ydw i wedi anghofio rhywun.

Bob bore Gwener roedd gen i joban bwysig iawn i'w gwneud. Mi fyddai pobol o bedwar ban byd yn tanysgrifio i dderbyn copïau o'r *C'narfon-Dembi* a'r *Herald Cymraeg* drwy'r post – dwi'n cofio rhai'n mynd i Ganada a'r Unol Daleithiau ac i Awstralia, a llawer lle arall. 'Singles' oeddan ni'n galw'r rhain ac roedd 'na rai cannoedd ohonyn nhw yn y dyddiau hynny. William John Owen o Gaernarfon oedd yn gyfrifol amdanyn nhw, ac mi fyddwn i'n gorfod mynd i'w helpu fo i rowlio'r papurau a'u lapio nhw'n barod i'w postio. Roedd y darn papur efo cyfeiriad y tanysgrifiwr wedi cael ei baratoi ymlaen llaw yn y swyddfa, ac wedi iddyn nhw gael eu rhowlio i fyny, roedd y papurau'n cael eu rhoi mewn sachau i fynd i'r post. Roeddan ni'n cael benthyg troli o Swyddfa'r Post ar gyfer y gwaith – un pren â dwy olwyn anferth, yn union fel trol a cheffyl ond ychydig bach yn llai ... a heb y ceffyl, wrth gwrs. Fi oedd hwnnw! Mi fyddwn i'n gorfod mynd i gefn Swyddfa'r Post i nôl y troli a dod â fo rownd i gefn adeilad yr *Herald*. Roedd hynny'n golygu ei bowlio ar draws y Maes, i lawr allt y Castell, i lawr Stryd Santes Helen ac i'r cefn; llwytho'r papurau i gyd yn fanno a mynd â fo'n ôl rownd yr un ffordd. Y drwg ar y ffordd yn ôl oedd ei fod o'n llawn erbyn hynny, ac roedd gofyn mynd i fyny allt y Castell. Argian, mi oedd o'n waith caled, ac ro'n i'n chwys laddar ar ôl gorffan. Mi ddirywiodd y gwerthiant post yma'n raddol dros y blynyddoedd – mae'n bosib ei bod hi'n ddiwedd oes a bod y Cymry alltud a fyddai'n arfer cadw mewn cysylltiad efo'r hen fro trwy gyfrwng eu papurau lleol, yn marw fesul un. Fasa gan eu plant nhw ddim cymaint o ddiddordeb â'u rhieni, dwi'm yn meddwl. Ond roedd hi'n ddiwedd oes ar sawl cyfrif – roedd technoleg newydd ar ei ffordd, a'r hen drefn yn marw'n ara deg.

Mi oedd dechrau gweithio yn newid byd garw i mi. Heddiw, dwi ddim yn teimlo ei fod o'n gymaint o sioc i bobol ifanc pan maen nhw'n dechrau swydd – roeddan ni'n fwy diniwed ers talwm, dwi'n meddwl.

Roedd 'na brysurdeb a chyffro yn Dre bryd hynny – fel ym mhob tref arall, mae'n debyg. Mae'n trefi a'n pentrefi ni'n llefydd dipyn gwahanol erbyn hyn. Roedd 'na fwrlwm arbennig ar y Maes achos yn fanno yr oedd yr orsaf fysys ers talwm, ac os oeddach chi isio gwneud trefniadau i gyfarfod rhywun, wel, y Maes oedd y lle.

Mi a' i â chi am dro rownd Maes y saithdegau mewn cylch rŵan, gan ddechrau o Swyddfa'r Post i gyfeiriad y Castell. Y lle cyntaf y down ni ato fo ydi cwmni gwerthu dodrefn Cavendish Woodhouse, lle mae bar Copa rŵan (Cofi Roc oedd o cyn hynny).

Drws nesa i'r *Herald* roedd cwmni Bob Parry, a drws nesa yr ochr arall roedd 'na siop moto beics (cymerodd Idris Owen y lle drosodd fel Siop y Modur yn ddiweddarach) ac wedyn roedd tafarn y Castle, neu'r Castell fel y mae o heddiw, efo cerflun un o arloeswyr addysg uwchradd yng Nghymru, Syr Hugh Owen, o'i flaen. Gyda llaw, mae Syr Hugh wedi cael mynd am dro bach yn ddiweddar, achos doedd o ddim yn arfer bod yma. Ers talwm, ar ochr arall y Maes yr oedd o'n teyrnasu, ond cafodd ei symud pan wnaed gwelliannau ychydig flynyddoedd yn ôl. Ar ôl y Castle mae 'na deras o dai urddasol tri llawr, a swyddfeydd oedd yn y rhain bryd hynny, fel heddiw. Dwi'n pasio cerflun Lloyd George rŵan, sydd yng nghysgod y Castell bron iawn, a chroesi i ochr arall y Maes (gwyliwch y bysys!). Ar y gornel mae siop Bryncir Woollen Mills, yn gwerthu pob math o nwyddau gwlân lliwgar y cwmni. Mae'r cof yn pallu rhyw fymryn erbyn hyn, ond roedd 'na siop fferyllydd yn y rhan yma yn rhywle, a siop gemwaith Sanford; wedyn roedd y Morgan Lloyd, sy'n dŷ tafarn heddiw, ond cyfanwerthwyr gwinoedd a gwirodydd oeddan nhw yn wreiddiol, ac roedd ganddyn nhw warws fawr i lawr wrth y Cei Llechi ar ochr arall y Maes. Am mai ar y Maes yr oedd gorsaf fysys Caernarfon, roedd gan gwmni bysys Whiteways swyddfa docynnau yno, ac mi oedd y People's Cafe wedyn, o gwmpas lle mae swyddfa cwmni'r Seren Arian rŵan, a drws nesa i fanno roedd caffi a siop hufen iâ enwog Bertorelli. Eidalwr oedd Mr Bertorelli, wrth gwrs, wedi dod drosodd ar ôl y rhyfel, am wn i, a dwi'n ei gofio fo a'i fwstash trwchus. Mi fyddwn i'n mynd yno pan o'n i'n blentyn a chael hufen iâ bendigedig, ac os oeddach chi'n ei fwyta fo i mewn yn y caffi, roedd o'n dod mewn gwydr arbennig, efo sôs mefus melys ar ei ben o. Roedd y llwyau wedi dod am ddim efo Camp Coffee. Dwi'n gwybod hynny achos mi fyddai Nain yn cymryd Camp Coffee ac roedd hithau'n hel i gael yr un llwyau! Dwi ddim yn meddwl y newidiodd ffenest ffrynt y siop o gwbl er pan agorodd hi – yr un posteri hysbysebu sigaréts ac yn y blaen oedd yno o un pen blwyddyn i'r llall. Drws nesa i Bertorelli roedd siop ddodrefn Astons, wedyn tafarn y Brittania, a siop Nefydd Jones oedd yn gwerthu baco rhydd a da-da. Roedd 'na jariau o faco ar y silffoedd ac arogl hyfryd arno fo. Wedyn roedd gynnoch chi siop ddillad dynion Hepworth's, ac roedd 'na gwmni arwerthwyr arall –

Robert Parry, oedd yn perthyn i Bob Parry dwi'n meddwl. Mi unodd y ddau gwmni yn y diwedd, a symuododd Bob Parry o'r drws nesa i'r *Herald* i le Robert Parry. Ar ôl yr arwerthwyr roedd banc yr HSBC, neu'r Midland fel yr oedd o. Yna, ar ôl yr Eglwys Bresbyteraidd Saesneg, efo'r gofeb ryfel o'i blaen, rydan ni'n ôl wrth Swyddfa'r Post. Ond cyn cyrraedd yn ôl i swyddfa'r *Herald*, mae 'na risiau carreg yn mynd i lawr i lefel y Cei Llechi, ac yng ngwaelod rheiny yr oedd warws Morgan Lloyd y soniais i amdano.

Ar ôl i Bob Parry symud, mi gymerodd *Yr Herald* eu swyddfa nhw, ac mi ddechreuodd y papur dyfu wedyn. Aeth yr adran hysbysebion yno, ac roedd stafell arall yno ar gyfer newyddion, a daeth mwy o staff acw yn sgil y twf hwnnw.

Un diwrnod ym Mai 1976, ychydig fisoedd ar ôl i mi ddechrau yno, penderfynodd rhai o hogia'r gwaith drefnu trip am y diwrnod i rywle. Elfed Roberts oedd y ceffyl blaen, dwi'n meddwl, ond roedd Jeff Eames, a oedd yn ohebydd ar y pryd, yn y cawl hefyd. Am ryw reswm dyma nhw'n penderfynu mynd i Gaerdydd o bob man! Mae fanno'n bell o Gaernarfon heddiw, ond yn ôl yn y saithdegau roedd o'n bellach fyth ac yn cymryd oriau efo trên heb sôn am gar neu fws! Ond yr esgus oedd ein bod ni'n mynd i weld tîm pêl-droed Cymru'n chwarae yn erbyn Iwgoslafia, fel roeddan nhw bryd hynny. Gêm ym Mhencampwriaeth Ewrop 1976 oedd hi, ac roedd trefn y gystadleuaeth yn wahanol bryd hynny. Mi fues i'n meddwl yn ôl am y gêm wrth ddilyn antur anhygoel Cymru yn Ewro 2016. Ond yn 1976 doedd 'na ddim rowndiau rhagbrofol fel sydd heddiw, ac roedd Cymru drwodd i rownd yr wyth olaf, lle'r oeddan nhw'n chwarae dwy gêm – gartref ac oddi cartref – yn erbyn Iwgoslafia. Mynd mewn bŷs oedd y syniad gwreiddiol, ond rywsut neu'i gilydd newidiwyd y trefniadau, a mynd efo trên wnaethon ni. Felly, roedd wyth

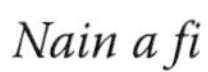

Nain a fi

Sbïwch cyrls del oedd gen i!

Fi yn ddyflwydd oed yn bwydo'r ieir yn Nhan Rhiw

Pa un ydi'r mwnci? Fi ar drip i Blackpool

Mam a fi o flaen bwthyn Llainfadyn yn Sain Ffagan

Mam a finna ym Mannau Brycheiniog, ar y ffordd adra o wyliau ym Mhorthcawl

Yncl Ned
Niwbwrch

Mam a Dad ym
maes awyr Caerdydd

Un o'r unig luniau ohona i efo
Dad a Mam

Y ffotograffydd brwd, steilish

Dad a fi yn Chwarel y Foel

Fi fel Max Boyce efo'r genhinen yng ngharnifal Llanberis

Mam a finna yn Nhryweryn, pan ddaeth gweddillion y pentref i'r golwg am y tro cyntaf

Fi a'm cyfnither, Eira, efo fy nghar cyntaf

Yn ystod fy nghyfnod yn yr argraffdy

Y ffotograffwyr Eisteddfodol yn penlinio o flaen yr Archdderwydd (1992)

Mae'r camera gen i
ym mhob man!

Ella bod y beic fymryn
yn fach ...?

Fi a Margaret Haines tu allan i dafarn y Twthill

Ar drywydd stori efo Elin Llwyd Morgan

Ar wyliau yn Hawaii

Yn Pearl Harbour ger cofgolofn yr Arizona

Llwncdestun ym mar y Woolpack ar set Emmerdale

Gweithio yn Sioe Eifionydd yn 1992

Fi a Kevin Kennedy (Curly Watts, Coronation Street*)*

Dathlu pum mlynedd ar hugain efo'r Herald
yn y Black Boy, Caernarfon, yn 2000

Criw'r Herald ar daith i Iwerddon yn y nawdegau cynnar

Llu o ffotograffwyr yn Eisteddfod Casnewydd 1988

Fi (ar y chwith yn y crys streips) mewn cynhyrchiad dramatig yn Ysgol Maesincla, Caernarfon

Fi a'r criw yn Eisteddfod yr Urdd Dyffryn Nantlle yn 1990

Fi a Phyl Harries. Ydan ni'n debyg?

Yn swyddfa'r Eisteddfod yng Nghaernarfon yn 2004

Ar set Pobol y Cwm *ar ddiwedd y daith o gwmpas setiau'r operâu sebon*

Fi a Non Ellis Griffith yn Sioe Nefyn, 1993

Mary Garner o swyddfa'r Herald ym Mhorthmadog
yn derbyn gwobr Halen y Ddaear rhaglen Heno

Gwrando'n astud ar un o
feirniadaethau'r Eisteddfod

Fi ddechreuodd y trend siwmperi
Dolig yn yr wythdegau ...

Fi, Betty Owen (oedd yn gweithio yn nerbynfa swyddfa'r Herald*)*
a Dafydd Wigley

Seibiant haeddiannol yn ystod Eisteddfod Casnewydd

Pawb yn rhoi eu camerâu o'r neilltu ar ddiwedd Eisteddfod Genedlaethol brysur yn yr wythdegau

Fi ar faes y Steddfod efo Arvid Parry Jones a'i fab, Robat.

Criw ffrindiau ym Murrayfield, Yr Alban: Alan Parry, Alun Prichard, Ian Edwards, Deiniol Tegid, Lee Roberts a fi, tua 2003

Dyna i chi glamp o lens!

Efo Mam a'm cyfnither, Ann, pan ges i fy urddo i'r Orsedd

neu ddeg ohonan ni i gyfarfod yng Nghaernarfon am 6.00 neu 6.30 y bore er mwyn dal trên cynnar o Fangor. Hwnnw oedd fy mhrofiad cyntaf o fynd i gêm ryngwladol, boed yn bêl-droed neu rygbi, a chefais agoriad llygad pan sylwais fod pobol yn dechrau cael tropyn i'w yfed mor gynnar â hynny ar y trên! Roedd Mam wedi gwneud brechdanau i mi, ond mi anghofiais bopeth amdanyn nhw tan i ni gyrraedd Caerdydd. 'Duwcs, mi wneith y rhain yn iawn i mi ar y ffordd adra,' medda fi wrtha i fy hun, ac mi rois y pecyn yn ddel ar y silff uwchben y sêt, gan feddwl y basan ni'n cael yr un trên i ddod adra, fel y basach chi efo bŷs! Mi ges i ail ar ôl dal y trên gyda'r nos, a finna'n chwilio am fy mrechdanau ymhob man! Mi oeddwn i wedi bod ar drên o'r blaen, ond wnes i ddim meddwl am y peth, naddo – rêl hogyn bach o'r wlad! Beth bynnag, mi gawson ni ddiwrnod gwych yng Nghaerdydd. Roeddan ni wedi cael tocynnau i fynd i'r gêm ym Mharc Ninian, ond chawson ni ddim buddugoliaeth chwaith – 1-1 oedd y sgôr derfynol. Ond mi fu un digwyddiad doniol arall – un a allai fod wedi troi allan yn llawer mwy difrifol. Cafodd Elfed ei daro gan fŷs yng nghanol Caerdydd! Drwy lwc, doedd o ddim yn mynd yn gyflym iawn (y bŷs, nid Elfed – mi *oedd* o!) ond yr eironi oedd mai bŷs Express Motors o Benygroes oedd o – pentref genedigol Elfed! Wedi gweld rhywun roedd o'n 'i nabod ar y bŷs oedd o ac yn codi llaw, heb sbio lle roedd o'n mynd. Wnaeth o ddim brifo, diolch byth.

Mi o'n i'n dechrau gweithio efo'r *Herald* ym mis Awst 1975, ac yn dechrau yn y coleg yng Nghaer ddiwedd mis Medi, ond cwta dymor barodd y cwrs hwnnw, ac mae'n rhaid i mi fod yn onest, ro'n i wrth fy modd. Doeddwn i'n lecio dim yno. Fi oedd yr unig Gymro yng nghanol môr o Seisnigrwydd, a heb fod yn amharchus mewn unrhyw ffordd, doeddwn i jest ddim yn teimlo'n gyfforddus.

Gofynnwch i mi siarad o flaen llond stafell o Gymry Cymraeg a does gin i ddim problem o gwbwl, ond gofynnwch i mi siarad o flaen criw di-Gymraeg ac mi ydw i'n chwys doman. Yn Gymraeg dwi'n byw fy mywyd, ac yn Gymraeg dwi'n meddwl. Dwi jest yn hapusach o lawer yn fy mamiaith, a dyna fo. Roedd hi'n fendith felly pan gaeodd y cwrs yng Nghaer. Yn y cyfamser roedd yr un cwrs bellach yn cael ei gynnig yng Nghaerdydd, ac felly i fanno yr oeddan ni'n mynd wedyn, yn mis Medi 1976 – fi a phrentis arall o'r enw Emlyn Jones o Benygroes. Mi adawodd Emlyn ar ôl tymor, a wedyn daeth Neil Jones ar y cwrs efo fi – a dyna pryd y cawson ni'r *detour* hwnnw drwy Abergwaun. Ond mi o'n i'n llawer iawn hapusach yng Nghaerdydd, mae'n rhaid i mi gyfaddef. Hyd yn oed os nad oedd pawb yn siarad Cymraeg fel yr oeddan nhw adra, roeddan nhw'n Gymry, a finna'n teimlo'n gartrefol yn eu plith.

Dwi ddim yn cofio'r teitl yn union, ond cwrs City & Guilds tair blynedd oedd o, wedi cael ei drefnu gan y diwydiant papurau newydd. Roeddan ni'n dysgu am bob agwedd o waith papur newydd, o hanes newyddiaduraeth i'r gyfraith, ac o ffotograffiaeth i dechnegau argraffu, a dyma pryd y gwnes i ddechrau tynnu lluniau i'r papur. Roeddan ni'n mynd i bencadlys y *Western Mail* yng Nghaerdydd yn reit aml i weld sut roedd pethau'n gweithio yno. Mae 'na ddau beth wedi aros yn y cof am y lle hwnnw: roedd y stafell newyddion ar yr ail lawr, a'r argraffdy ar y llawr gwaelod, ac roedd y copi – sef y straeon – yn mynd o un lle i'r llall i lawr rhyw diwb arbennig oedd yn sugno'r darn papur o un llawr i'r llall. Hynny ydi, os oedd y golygydd neu is-olygydd yn newid unrhyw beth, roedd o'n ei anfon o ymlaen i gael ei osod ar y peiriannau Linotype drwy'r tiwb 'ma. Mi oedd 'na beiriant arall oedd yn medru derbyn lluniau, a tra oeddan ni yno un diwrnod mi welson ni lun o ryw ddigwyddiad yn America yn dod drosodd ar hwn. Roedd o fel peiriant Telex neu ffacs, am wn i, ac roedd y llun yn cymryd hanner awr neu fwy i ddod trwodd. Roedd hyn cyn dyddiau e-bost, ac yn agoriad llygad ar y pryd.

Mi o'n i'n un o'r rhai lwcus oedd yn cael cyflog ac yn cael grant. Ond er hynny, ro'n i'n poeni braidd ychydig ddyddiau cyn cychwyn i lawr i'r coleg, achos doedd fy siec grant byth wedi cyrraedd. Felly mi es i draw i swyddfeydd Cyngor Arfon i holi be oedd wedi digwydd. O fanno mi ges i fy ngyrru i swyddfeydd Cyngor Gwynedd, a oedd wedi dod i rym yn 1974. I mewn â fi drwy'r drysau ac i fyny'r grisiau i swyddfa Tecwyn Ellis, y Cyfarwyddwr Addysg. Cnociais ar y drws, mynd i mewn ato fo a deud pwy oeddwn i a be oedd y broblem.

'O,' medda fo, 'faint ydan ni'n roi i chi, d'wch?'

Finnau'n cadarnhau faint oedd yn ddyledus i mi.

'A dydach chi ddim wedi'i gael o?'

'Naddo,' medda fi.

'Gwitsiwch am funud bach,' medda fo, gan alw ar ei ysgrifenyddes. Ymhen chwinciad, roedd o'n sgwennu siec i mi yn y fan a'r lle! Y Cyfarwyddwr Addysg ei hun yn sgwennu ac arwyddo'r siec o fy mlaen i, heb hyd yn oed gadarnhau'r swm oedd yn ddyledus i mi! Fasa'r fath beth byth yn digwydd heddiw.

Roedd y cwmni wedi trefnu llety i Emlyn a finna yn ardal Mynydd Bychan o'r ddinas. Tŷ mawr, nodweddiadol o arddull Caerdydd, oedd o, efo ffenestri mawr dwbwl, ac yn ogystal â'n llofftydd, roeddan ni'n cael defnyddio'r ystafell ffrynt fel lolfa. Ond mae'n rhaid i mi ddeud mai dynes fach ddigon od oedd ein landledi. Mi oedd hi mewn dipyn o oed, a doedd hi ddim yn hoff o stiwdants! Pam, felly, roedd hi'n eu cymryd nhw, dwn i ddim. Ond mi oedd hi'n hoff iawn o'r tsheri bincs ... yn rhy hoff, os rwbath. Roeddan ni'n cael defnyddio'r ffôn yn y lobi, ond roedd ganddi glo ar y deial, felly roedd yn rhaid gofyn a thalu i gael ei ddefnyddio bob tro, ond doeddan ni ddim yn gorfod talu i dderbyn galwadau, diolch am hynny. Wna i byth anghofio un noson pan ddaeth Emlyn a fi adra a darganfod y greadures wedi disgyn i lawr y grisiau. Doeddan ni ddim yn medru ffonio am bod y clo ar y ffôn, felly roedd yn rhaid mynd allan i focs ffôn i ffonio ambiwlans iddi. Bu'n rhaid i ni symud i lety arall wedyn achos doedd yr hen wraig ddim am gario 'mlaen i gadw stiwdants ar ôl ei chodwm.

Mi fues i mewn tri neu bedwar gwahanol lety yn ystod y tair blynedd y bûm i yng Nghaerdydd. Dwi'n cofio Clwb Ifor Bach yn agor am y tro cyntaf, a dwi'n cofio mynd i ganfasio dros Blaid Cymru efo Owen John Thomas, a oedd yn un o'r ceffylau blaen yn yr ymgyrch i sefydlu'r Clwb. Mi ddaeth yn Aelod Cynulliad yn ddiweddarach.

Roedd Caerdydd yn agoriad llygad i mi – cofiwch fy mod yno yng nghyfnod *Dyddiadur Dyn Dŵad*, a oedd yn cael tipyn o sylw yn y papur bro lleol, *Y Dinesydd*; cyfnod pan oedd Cymru'n gwneud mor dda ar y cae rygbi efo sêr fel Gareth Edwards, Phil Bennett, Gerald Davies, Ray Gravell a JPR yn y tîm, ac mi fues i mewn un neu ddwy o'r gemau. Rhwng popeth, mi oedd o'n gyfnod reit gyffrous. Doedd Caerdydd bryd hynny a Chaerdydd heddiw ddim byd tebyg, cofiwch – mae'r ddinas heddiw yn llawer mwy cosmopolitaidd, yn llawn bariau trendi a siopau neis. Doedd 'na ddim byd felly yr adeg honno. Roedd y tafarndai'n hen, ac er bod 'na nifer o glybiau nos yn ardal y dociau, a ddaeth yn adnabyddus i lawer o Gymry Cymraeg, doeddan nhw ddim byd tebyg i'r clybiau sydd yno heddiw. Roedd clybiau fel Pappagio's, Dowlais, Casablanca, Blue Moon, yr Exchange a'r Casino Club yn boblogaidd iawn – tai potas oedd ar agor tan oriau mân y bore. Roedd 'na dafarndai adnabyddus hefyd wrth gwrs – fel y Philharmonic yn Stryd y Santes Fair a oedd hefyd ar agor yn hwyr, a thai bwyta fel y Taurus Steak Bar. Roedd hwnnw'n lle poblogaidd iawn – nid oherwydd safon y bwyd, dwi'n prysuro i ddeud, ond am eu bod yn gwerthu alcohol tan tua phedwar y bore.

O sbio'n ôl rŵan, roeddan ni'n mynd i lefydd digon amheus, heb feddwl fawr ddim am y peth. Hynny ydi, roedd nifer o'r llefydd yma i lawr yn y dociau, ac roedd fanno yn dal yn ardal arw lle roedd angen cymryd gofal. Mi oedd 'na lot o gwffio yno yn y cyfnod hwnnw. Dwi'n cofio un noson, roedd criw ohonom i fod i fynd i'r Dowlais, ond am ryw reswn mi wnaethon ni newid y plania a mynd i'r Casablanca – neu fel arall rownd, o bosib. A'r bore wedyn mi glywson ni bod rhywun wedi cael ei saethu yn y Dowlais y noson honno. Roedd Tiger Bay yn y dociau yn adnabyddus am mai o fanno yr oedd Shirley Bassey'n dod, ond i ni roedd Tiger Bay'n fwy adnabyddus fel ardal y clybiau nos, ac roedd hi bron yn amhosib cael tacsi yn hwyr yn y nos gan na fyddai'r gyrrwyr tacsi yn mentro mynd ar gyfyl y lle ar ôl hyn a hyn o'r gloch.

Y Conway a'r Half Way oedd dwy o'r tafardai mwyaf poblogaidd efo'r Cymry Cymraeg, ac roedd y ddau le fymryn bach mwy sidêt. Roedd o'n handi hefyd bod y ddwy dafarn rownd y gornel i'w gilydd ym Mhontcanna.

Roedd dod yn ôl i Gaernarfon i weithio bob diwedd tymor ar ôl cyfnod yng Nghaerdydd yn newid byd unwaith eto, ac mi gymerodd hi amser i mi ddod i arfer yn ôl efo'r drefn. Ond roedd o'n gyfnod braf iawn yn fy mywyd i, mae'n rhaid i mi ddeud.

Doedd gan *Yr Herald* neb yn tynnu lluniau yn swyddogol nag yn rheolaidd. Mi oedd Catrin Siôn yn tynnu lluniau weithiau i gyd-fynd â rhai o'i straeon hi, ac mi oedd Liz Carter, gohebydd amaethyddol y papur, yn gwneud yr un fath, ond roedd newid yn anorfod, hyd yn oed i bapur 'traddodiadol' fel *Yr Herald*.

6

Dechrau tynnu lluniau i'r papur

Roedd yn rhaid symud efo'r oes, a rhyw flwyddyn neu ddwy ar ôl i mi ddechrau, mi benderfynodd y cwmni bod angen ailwampio'r papur.

Yn y dyddiau cynnar, pan ymunais â'r *Herald*, ychydig iawn o luniau oedd ym mhapurau'r cwmni p'run bunnag, ac roedd hynny'n rhywbeth oedd yn gyffredin i'r wasg leol, wythnosol, ym mhobman. Roedd 'na fwy o luniau mewn papurau cenedlaethol, ond doedd y peiriannau a'r dechnoleg ddim gynnon ni i allu cynnwys lot ohonyn nhw. Roedd y dudalen flaen, er enghraifft, yn llawn rhestrau arwerthiannau a marchnadoedd anifeiliaid – colofn ar ôl colofn o hysbysebion. Mi oedd 'na ambell lun ar y tudalennau teledu, efallai, ond roedd rheiny'n dod gan y BBC neu ITV. Yn raddol mi newidiodd pethau, a dechreuwyd cynnwys mwy o luniau, ac yn sgil hynny mi ddechreuais innau gyfrannu at yr ochr honno.

Doedd dibynnu ar ffotograffau yr oedd pobol yn eu hanfon i mewn aton ni ddim yn ffordd ddibynadwy o sicrhau cyflenwad rheolaidd o luniau ar gyfer y papur. Roedd gen i ryw hen gamera bach ac ro'n i wrth fy modd yn tynnu lluniau rhai o'r golygfeydd godidog sydd o gwmpas fy nghartref. Felly mi ofynnodd rhywun yn y gwaith i mi dynnu llun rhyw gyflwyniad neu rwbath – dwi ddim yn cofio be yn union – ac mi dyfodd y peth o fanno. Ro'n i'n dal i weithio yn yr adran argraffu, ac yn dal yn y coleg, ond yn fuan iawn ro'n i'n cael fy rhyddhau fwy a mwy i dynnu lluniau, ac yn gwneud mwy byth o hynny ar benwythnosau. Ro'n i'n tynnu lluniau pob math o bethau – cyflwyno gwobrwyon neu gyflwyno sieciau, digwyddiadau mewn ysgolion, priodas arian neu briodas aur efallai, neu ben-blwyddi arbennig – pa gais bynnag oedd yn dod i law mewn gwirionedd.

Wrth gwrs, unwaith yr oedd pobol yn gweld bod 'na luniau'n mynd i mewn i'r papur, roedd mwy a mwy ohonyn nhw'n anfon lluniau i mewn – priodasau gan mwyaf – a hefyd yn ffonio isio i ni fynd allan i dynnu llun i ysgolion neu gymdeithasau ac yn y blaen.

Ymhen sbel, ar benwythnosau y byddwn i'n tynnu'r rhan fwyaf o luniau, ac ar y dechrau, oherwydd nad oedd gan y cwmni ystafell dywyll, ro'n i'n mynd i Drefor i dŷ Bobby ac Edna Wood i'w datblygu nhw. Roedd Bobby'n gysodydd efo'r *Herald*, ac roedd Edna'n un oedd yn medru troi ei llaw at unrhyw beth. Ro'n i wedi cael tipyn o hyfforddiant mewn datblygu lluniau ac ati yn y coleg, ond roedd offer ac ystafell gan Edna (mewn carafán), a hi roddodd fi ar ben ffordd go iawn. Roedd y lluniau'n cael cyfle i sychu mymryn ar seti a ffenest gefn yr Austin Maxi mawr oedd gen i ar y pryd, tan o'n i'n cyrraedd adref i'w sychu nhw o flaen y tân. Wedyn roedd angen sgwennu capsiwn i bob un ar damaid o bapur, a'i sticio fo ar gefn y llun cyn mynd â nhw i'r swyddfa.

Tra dwi'n sôn am y Maxi, maddeuwch i mi am adrodd rhyw stori fach. Mi oedd y Maxi'n gar mawr, ac roedd hynny'n handi iawn ar adegau. Dwi'n cofio mynd â Nain i lawr i Curry's yng Nghaernarfon un tro i nôl oergell iddi, a phawb yn sbio'n hollol hurt arnon ni'n llwytho'r ffrij i'r car! Mi fyddwn i'n mynd â Nain am dro yn y Maxi yn reit aml hefyd, a doedd ganddi fyth syniad i ble roedd hi'n mynd. Ond pan agorodd Pont Britannia i geir roedd ganddi ofn am ei bywyd wrth feddwl am fynd drosti, ar ôl gweld rhyw adroddiad ar y teledu.

'Paid ti byth â mynd â fi dros honna wir, Arwyn, mae hi'n rhy uchel o beth coblyn,' meddai.

Ond un diwrnod, dyma fynd am dro i Sir Fôn, ac ar ôl i ni groesi i'r ochr arall dyma Nain yn troi ataf a deud, 'Cofia Arwyn, dwi ddim isio mynd dros yr hen bont 'na, sti.'

'Nain bach,' medda fi, 'mi ydan ni yn Sir Fôn, ac mi ydach chi newydd ddod drosti!'

Reit, yn ôl at y pwynt! Roedd Edna Wood yn un dda iawn am greu gwisgoedd ar gyfer gwahanol bethau fel carnifalau ac ati, ac roedd hi'n gefnogol iawn i garnifal Trefor. Un flwyddyn mi benderfynais i a rhai o fy ffrindiau y basan ni'n gwisgo gwisgoedd ffansi er mwyn cymryd rhan yng ngharnifal Llanberis. Mi oedd o'n garnifal anferth bryd hynny, yn ddiwrnod mawr yn y pentref ac yn rhan o Ras yr Wyddfa – y carnifal yn y bore a'r orymdaith yn mynd i'r cae lle roedd y ras yn dechrau am ddau o'r gloch. Mi wisgodd Emrys Bach (fy nghyd-brentis, Emrys Lloyd Jones) fel diafol os dwi'n cofio'n iawn, a finnau fel Max Boyce. Mi oedd gen i gitâr a chap a sgarff Cymru, ac mi oedd Edna wedi gwneud cenhinen anferth, chwe troedfedd o hyd, i mi. Mi gymeron ni ran yn y carnifal am ryw ddwy neu dair blynedd wedi hynny hefyd. Mi es i fel brenin un tro, diolch eto i Edna a'i dawn i greu gwisgoedd.

Wrth i'r papur newid a moderneiddio, roedd yr ochr tynnu lluniau yn tyfu ac yn tyfu nes 'mod i'n gorfod mynd i Drefor i ddatblygu bron iawn bob dydd. Ac wrth i fwy o luniau fynd i mewn i'r papur ro'n i'n cael mwy a mwy o alwadau i fynd allan i ddigwyddiadau. Mi oedd o'n gyfnod diddorol, ond ro'n i'n dal i weithio oriau hir fel cysodydd: 8yb-5yp ar ddydd Llun, 8yb-6yh ar ddydd Mawrth, 8yb-8yh ar ddydd Mercher, 8yb-5yp ar ddydd Iau a 8yb-1yp ar ddydd Gwener, ac roeddan ni i mewn ar fore Sadwrn hefyd i lanhau'r peiriannau ar gyfer y dydd Llun canlynol. Felly rhwng y tynnu lluniau hefyd, do'n i ddim yn cael llawer o amser i mi fy hun.

Dwi wrth fy modd yn cyfarfod pobol a siarad efo nhw, ac roedd y tynnu lluniau'n gyfle i wneud hynny. Felly yn haf 1982 mi ofynnais i John Morris Jones sut oedd ei dallt hi i mi wneud hynny'n llawn amser. Roedd gynnon ni stafell dywyll yng Nghaernarfon erbyn hynny hefyd, ond gwrthod wnaeth o. Iawn, digon teg, medda fi, ond fedrwn i ddim dal i weithio'r oriau yr oeddwn i'n weithio, felly mi benderfynais wneud llai o dynnu lluniau.

Mae'n rhaid bod John Moi wedi ailfeddwl, oherwydd be wnaeth o wedyn ond cyflogi ffotograffydd rhan amser ... ac nid fi oedd hwnnw. Hywel Hughes o Lan-faes, ger Biwmares, gafodd y swydd. Do'n i ddim yn hapus am y peth, mae'n rhaid i mi gyfaddef – roedd John Moi newydd wrthod fy nghais i am nad oedd o angen ffotograffydd, medda fo, a rŵan dyma fo'n cyflogi un! Rhan amser oedd Hywel, yn gweithio ym Môn yn unig, ac wrth gwrs roedd hynny'n golygu bod 'na lot o luniau o'r cylch hwnnw o'i gymharu â gweddill y patsh. Fy nadl i oedd y gellid gwneud Arfon, Dwyfor a Llŷn a Meirion am dridiau neu bedwar, a Môn am weddill yr amser. Doedd gen i ddim byd yn erbyn Hywel, wrth gwrs – roedd gen i'r parch mwyaf ato. Roedd o'n foi addfwyn dros ben, ac mi wnâi unrhyw beth i unrhyw un. Mi ddaeth y ddau ohonon ni'n ffrindiau da iawn gan gydweithio efo'n gilydd am flynyddoedd. Bu farw Hywel, a oedd ddim ond yn ei chwedegau, ar ddydd San Steffan 2007.

Wnaeth fy mhenderfyniad i gwtogi ar dynnu lluniau ddim para'n hir iawn. Y gwir amdani oedd bod y galw am luniau yn cynyddu, a fedrwn innau ddim deud 'na' wrth bobol oedd yn holi. Hefyd, ro'n i'n mwynhau gormod ar y swydd i roi'r gorau iddi jest fel'na.

Yn raddol, mi o'n i'n mynd allan fwy a mwy i dynnu lluniau – mwy nag o'n i'n wneud cynt, a deud y gwir, a doedd gen i ddim syniad be i'w wneud am y sefyllfa.

Fedrwn i ddim cario 'mlaen felly oherwydd yr oriau hir, ond ym mis Ionawr 1984 mi wnaethpwyd y penderfyniad drosta i, mewn ffordd.

Wrth i mi dynnu mwy a mwy o luniau, mi ddaeth hi'n bryd cael camera gwell. Mi ges i fenthyg pres gan Mam a Dad ac i ffwrdd â fi i Gaer i chwilio am un addas. Mewn siop o'r enw Cathedral Cameras y prynais fy nghamera safonol cyntaf – Olympus OM1 efo un lens. Rŵan, dwi'n hoff iawn o fynd i Gaer, a bob mis Rhagfyr mi fydda i a fy nghyfaill annwyl, Dion Jones, sy'n gweithio i'r cwmni yng Nghyffordd Llandudno, ac a fu'n brif ohebydd yng Nghaernarfon cyn hynny, yn mynd yno am y diwrnod i wneud dipyn o siopa Dolig a chael hwyl. Joli bois' owting os leciwch chi! Ac un o'r llefydd y byddan ni'n mynd iddo yn ddi-ffael ydi siop o'r enw Funky Cow, sy'n gwneud ysgytlaeth – milc shêcs – o bob math ac o bob blas y medrwch chi feddwl amdano, o After Eight i Marmite. Maen nhw'n wych, ac mi fydd Dion a finnau wrth ein boddau yno! Trît bach i'r hogia unwaith y flwyddyn, 'te, er fy mod i'n dioddef o glefyd y siwgwr erbyn hyn! Ond mae'n arwyddocaol i mi mai dyma safle'r hen Cathedral Cameras gynt.

Yn fuan iawn roedd y papur isio lluniau chwaraeon, ond dim ond un lens oedd gen i, a doedd hwnnw ddim yn ddigon da i dynnu lluniau chwaraeon, felly roedd yn rhaid prynu un newydd. Roedd isio *motor-drive* rŵan hefyd, i gael lluniau cyflymach, felly mi ges i fenthyg mwy o bres gan Mam a Dad ac i ffwrdd â fi i brynu'r offer. Roedd rhywun wedi deud wrtha i bod 'na le da yn St Helen's, felly i fanno yr es i, nid i Gaer y tro hwn. Fishwick's oedd enw'r cwmni, ac roeddan nhw yng nghefn ryw stad o dai, wedi uno chwe neu wyth garej i greu un uned fawr. Mi ges i goblyn o drafferth ei ffeindio fo, ond roedd o'n lle da ac roedd lot o ffotograffwyr o ogledd Cymru'n mynd yno i brynu offer.

Mae'r ffotograffydd Tegwyn Roberts yn adnabyddus drwy Gymru benbaladr ar ôl gweithio efo'r Cymro am flynyddoedd ac yna ar ei liwt ei hun. Mae'n wyneb cyfarwydd yn yr Eisteddfod Genedlaethol a Sioe Fawr Llanelwedd – ac i mi, mae Tegwyn a Margaret ei wraig fel ail deulu. Dwi wedi gwneud lot efo nhw ar hyd y blynyddoedd, a dwi'n dal i wneud. Mae ein cyfeillgarwch ni'n mynd yn ôl i gyfnod ethol Dafydd Wigley yn Aelod Seneddol. Roedd o wedi cael ei ethol am y tro cyntaf yn 1974, y flwyddyn cyn i mi ymuno efo'r papur, ond erbyn yr etholiad nesaf yn 1979, ro'n i wedi dechrau tynnu lluniau, ac mi es i draw i'r cyfrif a'r cyhoeddiad yn y ganolfan hamdden yng Nghaernarfon y noson honno. Nos Iau oedd hynny, ac felly roedd hi'n rhy hwyr ar gyfer papur yr wythnos honno ... sy'n lwcus pan glywch chi be ddigwyddodd! Mi es i adref o'r cyfrif, a weindio'r ffilm yn ôl er mwyn ei thynnu hi yn barod i'w datblygu. Och a gwae – mi dorodd y ffilm yn y camera! Doedd 'na affliw o ddim y medrwn i 'i wneud am y peth, dim ond derbyn fod lluniau'r noson honno wedi mynd am byth. Doedd gen i ddim syniad be i'w wneud. Mi siaradais efo rywun o'r cyngor, rhag ofn bod ganddyn nhw luniau y gallem eu defnyddio, a dyma hwnnw'n deud:

'Pam na wnei di gysylltu efo'r boi Tegwyn Roberts 'na – mi oedd o yno ar ran *Y Cymro*.'

'Grêt,' medda fi, 'lle mae o'n byw?'

'Yn Llanfyllin,' medda fo.

'Lle uffar mae fanno?' gofynnais. Yr unig beth wyddwn i oedd ei fod o'n bell! Ond mi ffoniais Tegwyn y noson honno ac egluro beth oedd wedi digwydd.

'Iawn 'machgen i, dim problem o gwbl,' meddai Teg yn ei ffordd nodweddiadol hamddenol. Dwi'n cofio mynd yno ar y dydd Sul, a chodi fy ffrind Emrys, y prentis, a'i frawd Gwyn yn Llanberis ar y ffordd. Ro'n i'n ffrindiau mawr efo nhw, ac efo'u brawd arall, Hefin, a'u cefnder Richard hefyd. I ffwrdd â ni drwy Fwlch Llanberis am yr A5. Doedd gen i ddim clem lle'r oedd Llanfyllin, a bu'n rhaid stopio yma ac acw i holi'r ffordd. Dwi'n cofio stopio yn sgwâr Llangollen yn y diwedd i ffonio Tegwyn a holi'r ffordd o fanno. Roedd hyn cyn dyddiau ffonau symudol, wrth gwrs, ac roedd yn rhaid dibynnu ar focsys ffôn cyhoeddus. Ymhen hir a hwyr mi gyrhaeddon ni Lanfyllin a chael hyd i'r tŷ. Roeddan nhw'n byw yn y Mans ar y pryd, ac mi gawson ni groeso mawr yno – a lluniau gan Teg. (Chwarae teg Teg!) Dyna sut y dois i i'w nabod o a Margaret gyntaf, ac mae'r cyfeillgarwch wedi tyfu a thyfu ers hynny – dros 30 mlynedd yn ôl erbyn hyn! Mae Teg a Margaret, a'u meibion, Iwan, Dylan a Alun, bob amser yn gwneud i mi deimlo fel un o'r teulu. Ers colli Mam yn 2009 dwi wedi treulio sawl Nadolig efo nhw, ac wedi bod ar wyliau tramor yn eu cwmni. Mi fyddan ni'n aros yn yr un gwesty bob amser yn ystod y Sioe Frenhinol a'r Ffair Aeaf yn Llanelwedd, lle ro'n i'n helpu Teg efo'r tynnu lluniau. Yn y blynyddoedd mwyaf diweddar dwi wedi bod yn aros drws nesaf i Teg a Margaret ar y maes carafannau yn yr Eisteddfod Genedlaethol – nhw yn eu campyrfan foethus, a finnau (ac eraill) yng ngharafán arall y teulu, sydd â'r adlen fwyaf welsoch chi erioed. Doedd hi ddim cweit yn ddigon mawr i'w defnyddio yn lle'r pafiliwn pinc, ond doedd 'na ddim llawer ynddi, meddan nhw, ac os fyddan nhw'n chwilio am ail Babell Lên ryw dro ...

Hwnnw oedd yr anffawd cyntaf i mi ei gael efo lluniau, ond dwi wedi cael sawl un arall dros y blynyddoedd. Mae pobol yn gofyn i mi weithiau, 'Wyt ti wedi tynnu lluniau heb ffilm yn y camera erioed?' Mi faswn i'n lecio deud 'naddo, siŵr, rioed,' ond mae o wedi digwydd, flynyddoedd yn ôl. Mi fues i'n tynnu lluniau breninesau carnifal yn yr Institiwt yng Nghaernarfon un tro, a phan gyrhaeddais adref gwelais 'mod i wedi anghofio rhoi ffilm yn y camera! Drwy lwc ro'n i wedi sylweddoli'n ddigon buan ac mi fedrais fynd yn ôl ac aildynnu'r lluniau cyn i bawb ddiflannu, gan ddeud mai'r ffilm oedd wedi torri yn y camera! Wel, cym on, fedrwn i ddim cyfadda'r gwir, na fedrwn?

Mae o'n hen deimlad annifyr pan dach chi'n sylweddoli bod rhywbeth wedi mynd o'i le. Mi roddodd Hywel Hughes hunllef i mi un tro. Roeddan ni'n rhannu'r un stafell dywyll yn y gwaith, ac roedd o wedi bod i mewn o fy mlaen i y diwrnod hwnnw. O ran cemegau, mi oedd 'na ddwy botel – un efo top coch i'r datblygwr a'r llall efo top gwyrdd i'r fficsar. Ond yn ddamweiniol mi oedd Hyw wedi newid y topiau rownd, felly roeddwn i'n rhoi'r fficsar i mewn gynta, wedyn y datblygwr! Mi ddaeth y lluniau allan yn glir fel jin – dim byd arnyn nhw. Collais bob llun! Mi lwyddais i aildrefnu rhai ohonyn nhw, ond ddim pob un, felly roeddan ni fymryn yn brin o luniau yr wythnos honno!

Dion Jones

Dwi'n nabod Arwyn ers bron i ddeng mlynedd, ond mae'n teimlo'n llawer mwy na hynny – ac erbyn meddwl, mae'n siŵr ei fod o.

Fel cenedlaethau o blant ysgolion Caernarfon a'r ardal, un o fy atgofion cyntaf oedd fy mam yn fy rhybuddio i wisgo fy nillad gorau am fod 'Arwyn Herald' yn dod i'r ysgol i dynnu'n lluniau ni. Ddegawd yn ddiweddarach, ro'n i mewn sefyllfa debyg iawn pan ges i swydd yn ohebydd dan hyfforddiant efo'r papur. Yn ystod fy wythnos gyntaf roedd yn rhaid cael tynnu fy llun er mwyn ei gynnwys efo fy enw uwchben fy straeon yn y papur. Roedd yn rhaid gwisgo fy siwt orau, wrth gwrs, ac roedd Arwyn wedi ffeindio lle addas i dynnu'r llun.

A minnau yn fy ugeiniau cynnar, mi ddywedais wrtho am wneud yn siŵr ei fod o'n gweud i mi edrych yn ddel. Dyma fo'n sbio arna i dros dop y camera a deud: 'Dion, camera 'di hwn 'sti, dim *magic wand*.' A dyna pryd gwnes i sylweddoli nad oedd hwn yn foi i wastraffu geiriau – rhywbeth dwi wedi cael fy atgoffa ohono drosodd a throsodd ers hynny.

Yn ystod fy mhum mlynedd yn ohebydd ar yr *Herald*, mi weithiodd Arwyn a finna ar bob math o straeon, ac rydan ni'n ffodus o fod wedi gweld ambell beth bythgofiadwy. O wyliau i g'nebryngau a phopeth arall, bron, doedd digwyddiad ddim yn ddigwyddiad go iawn nes i Arwyn gyrraedd efo'i gamera (a finnau'n dynn ar ei sodlau, fel arfer yn chwilio am feiro oedd yn gweithio).

Ond dim ond pan gyhoeddwyd y llyfr cyntaf o luniau Arwyn gan Wasg Carreg Gwalch y dechreuodd pobol gymryd sylw o ddifri o'i gyfraniad i'r diwydiant papurau newydd yng Nghymru. Yn y mis ar ôl cyhoeddi'r llyfr ro'n i wedi dod i gasáu mynd allan am ginio efo Arwyn - roedd awr ginio yn para oriau. Doedd hi ddim yn bosib cerdded ychydig lathenni heb i rywun ei stopio fo i siarad am y llyfr a gofyn iddo arwyddo copi iddyn nhw. Un tro, bu'n rhaid i ni dreulio ugain munud yn sefyll wrth ymyl tomen o'i lyfrau yn Siop Na-Nôg, Caernarfon, am fod 'na gymaint isio cael ei lofnod. Ac i wneud pethau'n waeth, roedd pobol yn dechrau meddwl mai fi oedd cymhorthydd personol Arwyn!

Mae'r ffaith fod Arwyn wedi cael gyrfa mor llwyddiannus fel newyddiadurwr dros bedwar degawd yn goblyn o gamp. Mae ei enw (a'i wyneb) wedi dod yn gyfystyr â'r *Herald*, ac yn wir, y diwydiant papurau newydd yng ngogledd-orllewin Cymru.

Cymeriad Arwyn ydi un o'r prif resymau am ei lwyddiant, ac mae hwnnw'n un o'r pethau yr ydw inna'n ei barchu fwya amdano.

Mae Arwyn wedi tynnu lluniau pobol o bob haen o gymdeithas dros y blynyddoedd ac wedi trin pob un efo'r un cwrteisi a'r un parch. Gobeithio y bydd ei gyfraniad anhygoel i'n diwydiant yn parhau am amser hir eto.

7
Y tân

'Argian, Fred, be ddiawl dach chi'n smocio bora 'ma? Ma' 'na ogla ofnadwy arno fo.'

Wna i byth anghofio'r frawddeg honno gan Dafydd Fawr y bore hwnnw ym mis Ionawr 1984. Dwi wedi'i grybwyll o fwy nag unwaith yn barod, a rŵan dyma i chi hanes y diwrnod y newidiodd yr *Herald* am byth.

Roedd 13 Ionawr 1984 yn digwydd bod yn ddydd Gwener, ond yn hanes Papurau'r *Herald* roedd yr anlwc eisoes wedi digwydd y diwrnod cynt, pan losgwyd y swyddfa'n ulw.

Mi ddois i i mewn fel arfer yn y bore, ac ar ôl bod allan i nôl bara i Mam o siop gyfagos, mi ddois i'n ôl i'r swyddfa, ac i'r comp rŵm. Roedd pobol yn cael smocio wrth eu gwaith yn y dyddiau hynny, fel dwi wedi sôn o'r blaen, a dwi'n cofio Dafydd Fawr yn troi at Fred Evans a gofyn y cwestiwn uchod heb wybod mai arogli'r tân yr oedd o. Ond ymhen dim roedd rhywun wedi sylweddoli be oedd yn mynd ymlaen. Dwi ddim yn meddwl bod neb yn gwybod i sicrwydd lle cychwynnodd y tân, ond mae pawb yn amau mai yn y caffi oedd drws nesaf i argraffdy'r *Herald* ar Ffordd Santes Helen y dechreuodd o.

Adeilad Brunswick oedd enw'r adeilad oedd yn gartref i swyddfa'r *Herald*, hen adeilad hardd a godwyd yn y 1850au. Ar un adeg roedd o'n gartref i fwy nag un busnes, ond erbyn hynny yr *Herald* a siop nwyddau ceir – Siop y Modur – oedd yr unig ddau ar lefel y Maes. Fel y soniais, roedd yr adeilad ar wahanol lefelau, ac roedd y stafell gysodi a'r argraffdy ar y lefelau isaf, gyda phrif fynedfa'r argraffdy ar Ffordd Santes Helen, ar yr un lefel â'r Cei Llechi. A drws nesaf i fanno – ond yn dal yn rhan o adeilad Brunswick – roedd 'na gaffi bach. Roedd o ar gau ar y diwrnod arbennig hwnnw am ryw reswm, ond mae'n debyg mai yn fanno y dechreuodd y tân.

Am ei fod yn hen adeilad efo waliau cerrig, roedd arogl y tân wedi treiddio drwodd i'r stafell gysodi. Mi ddechreuon ni weld mwg wedyn, ac mi aeth criw ohonan ni allan i'r cefnau i weld be oedd yn mynd ymlaen. Mi oedd 'na garej dros y ffordd, ac mi gadarnhaodd un o'r mecanics yn fanno yr hyn roeddan ni wedi'i amau, sef bod 'na dân yn yr adeilad, a dyna pryd y gwnaethon ni ffonio'r frigâd dân. Mae'n rhaid bod y tân wedi cynnau ers tipyn ac wedi bod yn llosgi'n ara bach, oherwydd ymhen dim roedd o wedi lledaenu i'r llawr gwag uwchben y caffi. Ac ar y llawr uwchben fanno yr oedd Siop y Modur. Doedd yr *Herald* ddim ar dân bryd hynny – y caffi oedd ar dân, ond roedd y fflamau'n gweithio'u ffordd i fyny'r adeilad, ac am ei fod mor hen a sych, ac yn llawn papur, inc, a phob math o bethau eraill, dim ond mater o amser oedd hi. Doedd 'na ddim gobaith unwaith yr aeth Siop y Modur ar dân, oherwydd roedd y lle yn llawn deunydd ymfflamychol fel olew a phaent ac yn y blaen. Roedd Idris Owen, y perchennog, yn dal i fod yn y fflat uwchben y siop, ond mi lwyddodd i ddod allan mewn pryd. Erbyn hynny roedd y tân wedi cydio go iawn a dwi'n cofio gweld caniau *aerosol* yn hedfan fel bwledi drwy ffenestri'r siop ac allan i'r Maes.

Yng nghefn yr adeilad ar lefel y Maes y lledaenodd y tân i'r *Herald*. Mi oedd y frigâd dân o Gaernarfon, Llanberis a Bangor yno, ond methwyd â dod ag injan fawr newydd o Gonwy oherwydd ei bod hi'n rhy fawr i fynd drwy'r porth yn waliau'r dref! Ond fasa hi ddim wedi gwneud gwahaniaeth beth bynnag, achos roedd y fflamau wedi gweithio'u ffordd i fyny i'r to yn yr *Herald* a Siop y Modur, a doedd 'na ddim gobaith o achub yr adeilad. Fis neu ddau cyn y tân, mi oedd 'na waith wedi bod yn mynd ymlaen ar y Maes i greu safleoedd i'r bysys trwy osod brics yn y llawr, ond wrth wneud hyn roedd y gweithwyr wedi bricio dros yr heidrants dŵr. O ganlyniad, bu'n rhaid i'r dynion tân bwmpio dŵr o'r Cei Llechi.

Roedd Hywel Hughes, y ffotograffydd, allan ar job efo un o'r gohebwyr, Siôn Tecwyn, ar fore'r tân. Mi aeth Siôn ymlaen i fod yn olygydd y papurau Cymraeg – *Yr Herald Cymraeg* a *Herald Môn,* ond mae o'n adnabyddus fel un o ohebwyr y BBC ym Mangor ers blynyddoedd bellach. Beth bynnag, fel yr oedd y ddau'n dychwelyd am y swyddfa, mi welson nhw injan dân yn gyrru fel dwn i'm be o Fangor, ac fel newyddiadurwyr gwerth eu halen dyma nhw'n penderfynu ei dilyn hi! Mi gawson nhw dipyn o sioc pan welson nhw ble'r oedd hi'n mynd! Roedd y mwg i'w weld am filltiroedd. Roedd Mam wedi'i weld o yn Rhosgadfan, ac mi es i ac eraill i ffonio adra i ddeud be oedd wedi digwydd, a'n bod ni'n iawn. Mi oedd 'na lwyth o bobol ar y Maes yn gwylio'r ddrama erbyn hynny hefyd.

Mi aethon ni'n ôl yno ar y dydd Sadwrn i weld y llanast, ac mi oedd hi'n drist gweld yr hen le. Roedd y difrod yn ofnadwy – ond mi oedd y dorth ro'n i wedi'i phrynu'r bore hwnnw yn dal yno, yn socian o wlyb ac yn ddu bitsh! Roedd lloriau Siop y Modur i gyd wedi mynd, a rhan o swyddfeydd yr *Herald*: yr adran hysbysebion (lle'r oedd cwmni Bob Parry gynt) a darn o'r cefn. Llwyddwyd i achub rhan o'r *Herald,* ond roedd y to wedi mynd, a'r lloriau gwaelod wedi cael eu difetha'n ofnadwy gan y dŵr a gafodd ei ddefnyddio i ddiffodd y fflamau, a hwnnw'n ddŵr hallt! Roedd pawb o'r staff mewn sioc a deud y gwir, yn methu credu'r peth ac yn meddwl be goblyn oedd yn mynd i ddigwydd iddyn nhw o ran gwaith.

Roedd 'na broblem fawr yn wynebu'r cwmni. Sut oeddan nhw'n mynd i gael papur allan yr wythnos wedyn?

Doedd 'na ddim *Herald Cymraeg* yr wythnos honno, ond mi lwyddwyd i wneud *C'narfon-Dembi* yr wythnos ganlynol yn swyddfa'r *Weekly News* yng Nghyffordd Llandudno. Dwi'n cofio'r pennawd ar y dudalen flaen yn iawn: 'Black Thursday'.

Mi fu'r cysodwyr a'r argraffwyr yn gweithio yng Nghyffordd Llandudno am gyfnod byr, cyn symud yn ôl i Gaernarfon. Chafodd y peiriannau Linotype yn stafell gysodi'r *Herald* mo'u difrodi yn y tân – fel y soniais eisoes, wnaeth o ddim effeithio gymaint â hynny ar y lloriau gwaelod a llogwyd craen i godi'r peiriannau oddi yno a'u symud nhw i adeilad arall. Ychydig cyn y tân roedd y cwmni wedi buddsoddi mewn peiriant argraffu newydd i droi'r papur, ac roedd o'n rhy fawr i'w osod yn yr hen argraffdy. Bu hynny'n fendith wrth edrych yn ôl, wrth gwrs. Roedd y peiriant hwnnw mewn adeilad yn perthyn i'r cwmni ar Ffordd Balaclafa, drws nesa fwy neu lai i lle mae Archifdy Gwynedd heddiw. Mi oedd o'n adeilad digon mawr ar gyfer yr ochr gysodi ac argraffu, ond y broblem wedyn oedd lle fyddai'r stafell newyddion a'r swyddfa yn mynd? Drwy lwc roedd hen Glwb y Rhyddfrydwyr ar gael, a doedd hwnnw ddim yn bell iawn oddi wrth yr adeilad ar Ffordd Balaclafa, ac i fanno yr aeth yr adrannau hynny.

Roedd hyn tua dau fis ar ôl y tân, ac roedd popeth yn iawn unwaith eto ... am ryw hyd. Ond yn yr haf daeth y newyddion bod yr *Herald* yn cael ei werthu.

Roedd y cwmni wedi dechrau moderneiddio'r papur cyn y tân, ond rŵan, byddai angen buddsoddiad enfawr mewn technoleg newydd ar yr ochr gysodi a'r ochr newyddion os oedd y papur am fynd yn ei flaen. Mi oedd cwmni R. E. Jones, perchnogion y *Weekly News*, wedi newid i'r drefn newydd eisoes, felly gwerthwyd y cwmni iddyn nhw. Caewyd yr ochr gysodi ac argraffu yng Nghaernarfon, a'i symud hi i Gyffordd Llandudno, ond cadwyd y swyddfa. Doedd neb yn colli ei waith, os nad oeddan nhw isio gadael, ac mi wnaeth rhai gymryd *redundancy*. Ond mi aeth y gweddill i Gyffordd Llandudno, neu i Glwb y Rhyddfrydwyr.

Penderfynwyd creu stafell dywyll yn fanno, ond roedd yr adeilad wedi bod yn wag ers blynyddoedd a doedd o mo'r lle mwyaf addas, felly penderfynwyd chwilio am adeilad mwy parhaol, ac ym mis Tachwedd symudwyd i Stryd y Porth Mawr.

Galwodd Clive Jones, y pennaeth newydd, fi i mewn i'w swyddfa un diwrnod yn fuan iawn ar ôl symud i Gyffordd Llandudno, a gofyn faswn i'n ffansïo tynnu lluniau'n llawn amser. Doedd dim angen iddo ofyn eilwaith! Mi ddywedais yn syth mai dyna oeddwn i isio'i wneud.

Petai'r tân heb ddigwydd, wn i ddim i ba gyfeiriad y baswn i wedi mynd o ran fy ngyrfa. Mi drodd fy mywyd ar ei echel wedi'r tân mewn ffordd na wnes i erioed ei ddychmygu. Roedd y broses o foderneiddio'r papur eisoes wedi dechrau, ond rŵan doedd 'na ddim esgus, na dewis – roedd yn rhaid newid.

Mi symudon ni allan o Glwb y Rhyddfrydwyr ym mis Tachwedd 1984 i'r swyddfa yn Stryd y Porth Mawr, uwchben Siop y Pentan. Adeilad tri llawr oedd hwn, a doedd o ddim yn hollol addas, ond fanno y buon ni wedyn nes i'r cwmni benderfynu cau'r swyddfa ym mis Mehefin 2015. Dwi'n cofio mai mis Tachwedd oedd hi am sawl rheswm. Yn gynta, mi o'n i wedi cael car newydd – Ford Sierra coch – ac ro'n i a ffrind i mi, Gwilym Roberts, ar y ffordd yn ôl i Lanberis o'r Faenol Arms yn Nant Peris. Mae Nant yn lle hyfryd a'r dafarn yn un ddifyr, ond y rheswm dros fynd yno'r diwrnod hwnnw oedd casglu pres pŵls, gan fod Emrys Bach a fi'n asiantau i gwmni pyllau pêl-droed Littlewoods. Ond pyllau o fath gwahanol oedd yn ein haros ni'r diwrnod arbennig hwnnw – roedd Cyngor Gwynedd newydd fod yn tarmacio rhwng Nant a Llanbêr, ac o ganlyniad roedd y draeniau wedi blocio efo cerrig mân. Roedd 'na byllau mawr o ddŵr ar wyneb y lôn, ac er nad o'n i'n goryrru, mi gollais reolaeth ar y car wrth fynd drwy un o'r rhain, a tharo'r wal a malu'r car yn rhacs. Mi o'n i wedi dechrau dioddef o sioc yn syth bin, ac oherwydd hynny, ffoniwyd am ambiwlans. Ro'n i wedi brifo fy nghoes a fy ffêr yn reit ddrwg hefyd, a bu'n rhaid i mi fynd i Ysbyty Gwynedd – ond mi ges i fwy o sioc yn ddiweddarach, sef bil o £5 am alw'r ambiwlans allan! Ar wahân i'r ddamwain, y rheswm dwi'n cofio'r diwrnod hwnnw mor glir ydi bod Gwil a fi newydd fod yn gwylio *Coronation Street* yn y Faenol Arms: y bennod pan oeddan nhw'n claddu Stan Ogden! Ro'n i'n dilyn *Coronation Street* yn selog bob wythnos. Mi fues i adre'n sâl am tua mis ar ôl y ddamwain, ac felly pobol eraill aeth â fy stwff i drosodd i'r swyddfa newydd.

Yn dilyn y ddamwain honno, mi ges i gar newydd – Cortina Crusader – ond yn fuan iawn wedyn mi ges i gar cwmni, ac felly mae hi wedi bod ers hynny. Dwi'n gyrru cannoedd o filltiroedd mewn wythnos, felly mae o'n gweithio allan yn well.

Dwi'n sylweddoli fy mod i'n un o'r rhai lwcus, mewn ffordd. Taswn i wedi aros yn gysodydd, faswn i byth wedi para mor hir. Hynny ydi, mi gollodd nifer o'r criw argraffu eu swyddi ar wahanol adegau wrth i'r busnes newid. Pan gafodd y *Weekly News* ei lyncu gan y *Chester Chronicle*, a phan gafodd y cwmni hwnnw ei brynu gan Trinity Mirror maes o law, mi gollwyd swyddi yn yr adran argraffu. Technoleg newydd oedd y prif reswm, ond hefyd yn ein hachos ni, roedd yr ochr brintio yn symud yn bellach ac ymhellach o Gaernarfon bob tro. Mi fuon ni'n argraffu yng

Nghyffordd Llandudno am flynyddoedd. Ond ar ôl i bapurau'r *Weekly News* a phapurau'r *Herald* gael eu prynu gan gwmni'r *Chester Chronicle* yn y 1990au, mi ddechreuwyd argraffu yng Nghaer; a phan gafodd y cwmni hwnnw ei brynu gan Trinity Mirror maes o law, mi symudwyd yr argraffu eto – i Lerpwl y tro hwn. Ond am fod gan y cwmni sawl argraffdy, penderfynwyd gwneud i ffwrdd â rhai a chanolbwyntio ar brintio pob papur mewn un lle. Erbyn heddiw yn Oldham y mae papurau'r cwmni i gyd yn cael eu hargraffu. Felly, oni bai 'mod i wedi newid fy swydd, a mynd yn ffotograffydd yn lle cysodydd, faswn i byth wedi para mor hir.

Y tân yn swyddfa'r Herald

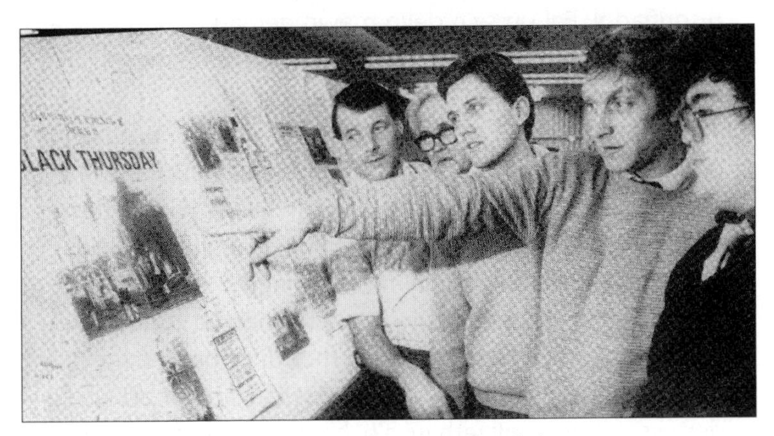

Paratoi rhifyn yr wythnos ganlynol o'r papur

Dafydd Wigley

Bu Arwyn Herald, fel mae pawb yn ei adnabod, yn ddyfal brysur o gwmpas ei filltir sgwâr yn Arfon cyhyd ag y gallaf gofio. Roedd yno – efo'i gamera parod a'i lygaid creadigol, chwim – o'm dyddiau cynnar yn AS Caernarfon ac mae'n dal yno; mor driw i'w fro, i'w broffesiwn ac i'w weledigaeth ag erioed.

Maen nhw'n dweud bod llun da gyfwerth â mil o eiriau disgrifiadol. Fel un sy'n delio mewn geiriau ar bapur ac ar lafar, gallaf ategu mor wir yw hynny. Dyna pam mae Arwyn mor allweddol bwysig i'm gwaith.

Gallaf dystio i'r cannoedd o adegau y bûm mor ddyledus iddo am help i gyflwyno achos neu hanes neu ddigwyddiad. Ond nid er fy lles i (nac, yn wir, er lles ei gyflogwyr) y bu Arwyn mor ddiwyd ac mor barod ei gymwynas. Bu'n gwneud hyn i wasanaethu ei fro a'i wlad. Trwyddo fe gafwyd mwy na chofnod o bobol neu ddigwyddiad; yn hytrach mae'n rhoddi pobol mewn cyd-destun. Caiff y gorau o'r amgylchiadau ac, yn arbennig, dengys y personoliaethau a'u hemosiynau: llawenydd a gofid, dwyster a hiwmor, cywreinrwydd a chywirdeb, gan greu drwy lun yr awydd i wybod mwy. Ac mae'n parhau i wneud hynny mor driw ag erioed i'w filltir sgwâr a'i phobl. O'r holl adegau y bu gyda mi yn tynnu lluniau, yr achlysur a gofiaf orau yw ymweliad Arwyn a Thŷ'r Cyffredin, ychydig cyn i mi ymddeol. Ymhlith y llu o luniau a dynnodd mewn byr gyfnod, roedd cyfres ohonof yn sgwrsio efo John Major, a oedd hefyd yn ymddeol. Doedd Arwyn yn ddim mwy, na dim llai, proffesiynol yn trin y cyn-brif weinidog ag a fyddai yn trin y gwerinwr mwya dirodres yng Ngwynedd. Roedd yn mynnu cael ei wrthrych yn eistedd yn iawn, ac yn y golau addas, er mwyn cael llun fyddai'n adrodd y stori.

Rhinwedd fawr arall Arwyn yw ei allu i ddehongli mewn amrantiad yr holl amgylchiadau sy'n creu stori, i adrodd hanes trwy lun yn gryno heb wastraffu amser – ac felly'n gofalu nad yw'n colli cyfle. Yna, ar ôl cwblhau ei waith, datgan yn ddi-lol fod joban arall yn ei ddisgwyl, a ffwrdd â fo – ei steil a'i sicrwydd mor nodweddiadol o ardaloedd y chwareli llechi!

Hyderaf y caiff pawb yr un pleser o'r gyfrol newydd hon ag a gawsom o gyhoeddiadau eraill Arwyn, a gobeithiaf y bydd yn dal ati am flynyddoedd lawer, fel un o dynnwyr lluniau mawr ein cyfnod ac un y mae Arfon a Chymru yn ddyledus iddo am ei weledigaeth, ei ymroddiad, ei ddycnwch a'i ddyfalbarhad.

8
Mwy o losgi

Noson o Fedi oedd hi, ac ro'n i adra yn meindio fy musnes (fel y bydda i bob amser), pan ganodd y ffôn.

'Dos i Fach-wen, mae 'na dŷ ar dân yno,' meddai 'r llais, cyn rhoi'r ffôn i lawr yn ddisymwth.

Mi fydda i'n cael galwadau fel hyn yn reit aml, maen nhw'n rhan o'r job. Ond fel arfer dwi'n gwybod yn union efo pwy dwi'n siarad – un o fy ffrindiau neu un o fy 'nghontacts'. Mae rheiny'n hanfodol yn y busnes newyddiadura 'ma, a dydyn nhw byth yn rhoi'r ffôn i lawr heb ddeud 'ta ta'! Y tro hwn, fodd bynnag, doedd gen i ddim syniad pwy oedd yno, ond mi benderfynais fynd allan 'run fath. Roedd yr hyn a ddywedodd o'n berffaith wir – mi oedd 'na dŷ ar dân yn Fach-wen. Erbyn deall, mi oedd 'na ddau! Tai haf oeddan nhw, a'r flwyddyn dan sylw oedd 1986, pan oedd ymgyrch losgi Meibion Glyndŵr yn ei hanterth.

Pan fydda i'n edrych yn ôl ar yr wythdegau a'r nawdegau, fedra i ddim peidio â meddwl fy mod wedi cael braint o weithio yn ystod un o'r cyfnodau mwyaf cyffrous yn ein hanes. Mwy cyffrous o lawer na'r ddegawd bresennol, does gen i ddim amheuaeth am hynny o gwbl. Roedd hi'n teimlo fel petai rhyw streic, protest neu rali yn digwydd bob wythnos – protestiadau yn erbyn cynlluniau tai a marinas a oedd yn boblogaidd (neu amhoblogaidd) iawn ar y pryd; ralïau yn erbyn Rhyfel y Gwlff 1991, Treth y Pen, protestiadau dros gael ffordd osgoi i Lanllyfni a gwahanol ymgyrchoedd Cymdeithas yr Iaith, yn enwedig y rali anferth dros Ddeddf Eiddo yng Nghaernarfon yn 1991. Doedd o ddim yn gyd-ddigwyddiad mai Margaret

Thatcher oedd mewn grym yn y cyfnod dan sylw. Fedra i ddim gwadu chwaith fod tanau Meibion Glyndŵr yn un o'r prif resymau am deimlo'r cynnwrf hwnnw. Roeddan nhw'n dod â thipyn o liw i'n bywydau ni, waeth i mi fod yn onest ddim.

Roedd yr ymgyrch losgi wedi bod yn mynd ers Rhagfyr 1979, ac roedd nifer dda o'r tanau yn fy mhatsh i, fel rheiny yn y Fach-wen. Y broblem efo'r tân cyntaf hwnnw oedd fy mod i yno o flaen yr heddlu a'r frigâd dân gan 'mod i wedi cael y rhybudd dros y ffôn. Roedd hynny'n edrych yn amheus a deud y lleiaf, ac wrth gwrs, mi oeddan nhw isio gwybod mwy. Mi ges i fy holi gan yr heddlu yn y fan a'r lle, a doedd gen i ddim byd i brofi bod fy stori'n wir. Dim byd ond galwad ffôn ddienw. Ond roedd bois y frigâd dân a'r heddlu lleol yn gwybod 'mod i'n gweithio i'r papur, felly tawelwyd y dyfroedd. Roedd 'na dŷ haf arall wedi mynd ar dân yno y noson honno hefyd, digwyddiad oedd yn nodweddiadol o'r ymgyrch ar y pryd. Roeddan nhw'n aml yn targedu mwy nag un tŷ ar yr un noson, nid yn yr un ardal bob amser, ond dyna ddigwyddodd yn achos Fach-wen.

Roedd y tanau'n digwydd yn rheolaidd mewn sawl ardal ar draws Cymru yn ystod blynyddoedd cynnar yr ymgyrch. Yn gynharach y flwyddyn honno roedd Parc Newydd, Rhosgadfan, wedi'i losgi'n ulw, a dwi'n cofio tanau eraill y bûm i'n tynnu eu lluniau dros gyfnod yr ymgyrch losgi, mewn llefydd fel Mynydd Nefyn a Chlynnog, er enghraifft. Roedd y BBC a HTV yn derbyn llythyrau gan 'Rhys Gethin' yn hawlio cyfrifoldeb am y llosgi yn enw Meibion Glyndŵr, a derbyniwyd ambell un yn swyddfa'r *Herald* hefyd. Roedd yr heddlu'n dod acw i'w nôl nhw, ac roedd pob aelod o staff oedd wedi'u cyffwrdd nhw yn gorfod rhoi cofnod o'u holion bysedd i'r heddlu, rhag ofn iddyn nhw gael bai ar gam.

Mae 'na un achos arall wedi aros yn y cof am fy mod yn

cofio'r diwrnod y digwyddodd o – Dydd Mawrth Ynyd, 1985. Ydw, dwi'n sgut am grempog – neu mi oeddwn i cyn i mi ddechrau dioddef o glefyd y siwgwr – ond nid dyna pam dwi'n cofio'r achlysur hwn chwaith. Ro'n i wedi bod yn tynnu lluniau ras grempogau ym Mhorthmadog, ac roedd gen i un joban fach i'w gwneud ym Meddgelert cyn dod yn ôl i Port ac yna am adra. Roedd hi wedi dechrau tywyllu wrth i mi yrru'n ôl o Feddgelert i Port, ac wrth fynd drwy Bren-teg be welwn i ond tŷ ar ochr y ffordd yn wenfflam, a'r heddlu a diffoddwyr tân ym mhobman. Roedd o wedi mynd ar dân yn y cyfnod y bûm i'n tynnu'r llun ym Meddgelert, achos roedd popeth i'w weld yn iawn pan basiais i'r ffordd honno tua tri chwarter awr ynghynt. Cyd-ddigwyddiad oedd hwnnw ar fy rhan i, ond mae'n siŵr ei fod o'n edrych yn ddigon amheus, ac mi ges i edrychiad neu ddau digon rhyfedd gan yr heddlu eto, ond ches i mo fy holi'r tro hwnnw.

Un diwrnod ym mis Tachwedd 1989 roedd 'na gynnwrf mawr ar y Cei Llechi yng Nghaernarfon, a'r stori oedd bod 'na fom ar un o'r cychod hwylio. Roedd hwn yn ddatblygiad newydd yn yr ymgyrch. Y drefn arferol efo digwyddiadau o'r fath oedd bod yr heddlu'n ffonio uned ddifa bomiau'r fyddin yn Lerpwl i ddod i wneud y ddyfais yn saff. Ond yn yr achos yng Nghaernarfon, roedd un o weithwyr yr harbwr wedi bod rownd y cychod i gyd efo dau heddwas mewn cwch modur bach i chwilio am y bom 'ma ar ei ben ei hun cyn i'r uned honno gyrraedd! Huw, mab John Morris Jones, perchennog *Yr Herald* gynt, oedd o. Roedd yn rhaid i mi chwerthin a deud y gwir, wrth feddwl am y swyddogion difa bomiau efo'u siwtiau soffistigedig a'u helmedau a'u robots a'u geriach o bob math, a Huw yn mynd o gwmpas y cei yn ei gwch i chwilio am fomiau fel tasa fo'n rhywbeth yr oedd o'n 'i wneud bob dydd. Fel mae'n digwydd, mi oedd 'na ddyfais ffrwydrol ar un o'r cychod, a chafodd honno ei gwneud yn saff yn ddiweddarach gan fois yr uned difa bomiau.

Mae un digwyddiad arbennig o'r cyfnod yma wedi aros yn y cof, sef arestio Bryn Fôn a Mei Jones – Tecs a Wali Tomos *C'mon Midffîld* – ym mis Chwefror 1990. Cafodd yr actor Dyfed Thomas ei arestio yn Llundain yr un pryd hefyd. Mi oedd arestio Bryn – a'i wraig, Anna, ychydig yn ddiweddarach – yn goblyn o sioc i bawb. Doedd neb yn medru credu'r peth a deud y gwir. Pan glywais i fod yr heddlu yn archwilio caeau wrth ymyl tŷ Bryn, mi es i draw yno, a gweld plismyn ym mhob man. Roeddan nhw'n edrych fel pengwins yn mynd rownd y caeau yn eu dillad du a gwyn! Mi glywson ni mai yn swyddfa'r heddlu yn Nolgellau yr oedd Bryn yn cael ei ddal, felly i lawr â ni yn syth – Ian Parri a finna. Ym Mae Colwyn yr holwyd Mei Jones, ac yn Llundain yr holwyd Dyfed Thomas, ond mi gafodd y ddau eu rhyddhau o fewn ychydig oriau. Y stori efo Bryn oedd bod yr heddlu wedi cael galwad ffôn i ddeud bod 'na ddyfais cynnau tân neu rywbeth felly wedi cael ei guddio yn un o'r waliau cerrig ger ei gartref yn Nasareth, ger Penygroes.

Bu Ian Parri a finnau, ac aelodau eraill o'r wasg, yn aros y tu allan i orsaf yr heddlu yn Nolgellau am dros ddeuddydd – ddim yn bell o dridiau. Cafodd Bryn ei hebrwng i mewn yno ddiwedd pnawn dydd Mercher, 14 Chwefror, a chafodd o mo'i ryddhau tan y nos Wener. Doedd neb yn siŵr be oedd yn digwydd, ac mi fasa'r heddlu wedi medru ei ryddhau neu ei symud o unrhyw bryd, felly roedd yn rhaid aros yno i gael y llun. Chwarae teg, mi oedd rhai o fyfyrwyr Coleg Meirion Dwyfor yn cario paneidiau i ni, ac yn mynd i'r siop jips i wneud yn siŵr na fasa neb yn llwgu. Cafodd Anna ei rhyddhau ar ôl bod yn y ddalfa am 24 awr, ond roedd yr heddlu isio mwy o amser i holi Bryn. Roedd yn rhaid mynd i'r llys i ofyn am ganiatâd i wneud hynny, ac fe wnaethpwyd y cais tua un o'r gloch fore Gwener. Dyna'r tro cyntaf i mi gyfarfod Elfyn Llwyd, twrna Bryn, ond mi ddois i'w adnabod reit dda yn ystod y blynddoedd canlynol, ar ôl iddo ddod yn Aelod Seneddol.

Erbyn y nos Wener roedd cryn dipyn o gefnogwyr wedi ymgynnull y tu allan i'r orsaf, ac roedd rhai wedi gwneud posteri 'Guildford 4 Bryncoch 2'! Roedd 'na grysau T arbennig wedi cael eu cynhyrchu hefyd, ac roedd yr awyrgylch yno yn drydanol, gyda phobol yn canu cyrn eu ceir wrth yrru heibio. Yna, o gwmpas chwarter i naw y noson honno, rhyddhawyd Bryn yn ddigyhuddiad. Mae'r amgylchiadau a arweiniodd at ei arestio yn dipyn o ddirgelwch. Be yn union oedd y ddyfais y daethpwyd o hyd iddi? Dim ond bwndal o weiars oedd yno, yn ôl rhai. Pwy oedd y person dienw a ffoniodd i ddeud bod 'na ddyfais yn wal un o gaeau Bryn yn y lle cyntaf, a sut oedd hwnnw'n gwybod ei bod hi yno? Roedd hi'n stori ryfedd iawn, a doedd hi ddim yn adlewyrchu'n dda iawn ar yr heddlu, mae'n rhaid deud.

Cyn yr arestiadau, roedd fel petai gweithgaredd Meibion Glyndŵr wedi arafu, ond mi gynyddodd drachefn ar ôl y busnes hwnnw.

Y stori fawr nesa yn hanes Meibion Glyndŵr oedd arestio Siôn Aubrey Roberts a David Gareth Davies, neu Stwmp fel yr oedd o'n cael ei nabod. Cafodd Siôn ei arestio yn hwyr bnawn Iau, 5 Rhagfyr 1991, a Stwmp y noson honno. Roedd parti Nadolig *Yr Herald* ar y nos Wener, ond roedd y ddau i fod i ymddangos o flaen llys ynadon arbennig yng Nghaergybi fore Sadwrn, felly ches i ddim cymaint o tsheri-bincs ag y baswn i wedi'u cael fel arfer yn y parti, am fod rhaid i mi godi'n fore er mwyn gyrru i'r llys.

Yng Nghaergybi y bore hwnnw dwi'n cofio sgwrsio efo Alwyn Gruffudd o'r BBC a'r dyn camera, Nigel Roberts, sy'n un o fy ffrindiau pennaf, a phenderfynu mynd i gefn gorsaf yr heddlu er mwyn trio cael llun o'r ddau. Mi ges i lun reit dda o Siôn Aubrey yn dod allan o gar heddlu mewn ofyrôls gwyn.

Wedyn, bum wythnos yn ddiweddarach, cafodd Dewi Prysor ei arestio yn ei gartref yn Nhrawsfynydd, ond bu'n rhaid aros 14 mis, tan fis Ionawr 1993 – am yr achos llys. Gwnaed ymgais i gynnal yr achos *in camera*, hynny ydi, y tu ôl i ddrysau caeedig, ond gwelodd fy nghyd-weithiwr Dafydd Norman Jones rybudd i'r perwyl hwnnw ar ddrws y llys, ac roedd y stori ar dudalen flaen *Yr Herald Cymraeg* y diwrnod wedyn. Y rheswm dros wneud y cais oedd bod cymaint o dystion o'r gwasanaethau cudd, ond fel y gŵyr pawb erbyn hyn, methiant fu'r ymgais am gyfrinachedd, a chynhaliwyd yr achos gerbron y cyhoedd yn Llys y Goron Caernarfon. Roedd hi'n un o'r straeon newyddion mwyaf yng Nghymru ers blynyddoedd, ac roedd sylw'r cyfryngau o bob cwr o'r wlad, os nad y byd, ar y dref ac ar yr achos. Roedd 'na ddegau o newyddiadurwyr o bob cwmni a chyfrwng dan haul yno, ac roedd o'n gyfnod cyffrous, mae'n rhaid i mi gyfaddef. Beth bynnag, mi barodd yr achos dros fis, a dwi'n cofio'r diwedd yn iawn – nid oherwydd ei fod yn rhywbeth hanesyddol, er ei fod o'n hynny, heb os. Na, dwi'n cofio diwedd yr achos am reswm mwy hunanol. Dyn camera llawrydd ydi Nigel Roberts, ond roedd yn gwneud y rhan fwyaf o'i waith efo'r BBC ar y pryd, ac roedd o wedi bod yn dilyn yr achos llys. Roedd gan Nigel a finnau docynnau i fynd i weld Cymru'n chwarae Iwerddon yng Nghaerdydd ym Mhencampwriaeth y Pum Gwlad, fel yr oedd hi bryd hynny, ac roeddan ni wedi bwcio gwesty a phob dim ers misoedd. Anfonwyd y rheithgor allan i ystyried eu dyfarniad ar ddydd Iau, 4 Mawrth, ac ar ddiwedd y diwrnod hwnnw daethant yn ôl i'r llys i ddeud nad oeddynt wedi cyrraedd penderfyniad. Aeth diwrnod arall o drafod heibio heb iddynt gytuno, a chymerwyd y penderfyniad i ailymgynnull fore Sadwrn – a oedd yn beth anghyffredin iawn i'w wneud. Wrth gwrs, roedd hi'n amen ar daith Nigel a finnau i weld y gêm, ond a deud y gwir, fasan ni ddim wedi methu'r cyffro am unrhyw Goron Driphlyg neu Gamp Lawn. Y tu allan i'r llys roedd degau o ffotograffwyr a dynion camera, ac yn eu plith roedd Nigel efo monitor teledu, heb sain. Ond roedd ganddo fo radio, felly mi gawson ni weld a chlywed y gêm o leiaf, er nad oedd y ddau gyfrwng yn cyd-fynd â'i gilydd yn dda iawn! Yna'n hwyr yn y pnawn daeth si bod y rheithgor wedi cyrraedd dyfarniad. Wna i byth anghofio'r golygfeydd pan gerddodd Dewi Prysor allan o'r llys efo'i fam a'i ddwy chwaer, yn ddyn rhydd. Mi es i efo nhw wedyn i dynnu lluniau yn y Black Boy, lle roeddan nhw wedi mynd yn syth o'r llys i ddathlu. Mi fues i yng Nghwm Prysor y diwrnod wedyn hefyd, yn tynnu mwy o luniau ohono fo efo'r teulu. Mi gafwyd Stwmp yn ddieuog o rai cyhuddiadau, ond roedd o a Siôn Aubrey yn dal i wynebu cyhuddiadau eraill, a daeth y rheithgor yn ôl at ei gilydd ar y bore Llun wedyn i barhau â'r trafod. Ond roedd hi'n amlwg nad oeddan nhw am gael dyfarniad unfrydol, ac ar bnawn dydd Mawrth, 9 Mawrth cafwyd Stwmp yn ddieuog, ond Siôn Aubrey'n euog o anfon dyfeisiadau ffrwydrol drwy'r post. Cafodd ddedfryd o 12 mlynedd o garchar. Doedd cael lluniau o ddiffynyddion ddim llawer o broblem bryd hynny, gan fod y fan yn eu gollwng ar y lôn o flaen hen Lys y Goron yng nghanol Caernarfon a hwythau'n cael eu hebrwng drwy giât i mewn i'r adeilad, ond mae'n anoddach erbyn heddiw yn y Llys y Goron newydd ar Ffordd Llanberis. Beth bynnag, mi ges i luniau da yn ystod yr achos hwnnw, a dwi'n cofio un ohonyn nhw, llun o Siôn Aubrey yn gadael y llys, yn cael ei ddefnyddio ym mhapur yr *Independent.*

Mae'n ymddangos bod Caernarfon a'r cylch wedi gweld mwy na'i siâr o danau mawr dros y blynyddoedd. Er enghraifft, mi losgodd ffatri trin crwyn Hugheston Roberts yn ulw. Roedd y ffatri honno o gwmpas lle mae'r gylchfan heddiw yng nghefn Capel Salem sydd ym mhen uchaf Stryd Llyn. Yn ystod fy amser efo'r papur, dwi wedi bod mewn degau o danau – rhai mawr a rhai bach. Mae'r arogl mwg yn aros efo chi am amser hir ar ôl bod allan mewn digwyddiad o'r fath; mae o fel petai'n glynu i'ch ffroenau ac i'ch dillad chi, ac mae o'n hen arogl annymunol.

Un o'r tanau mwyaf welais i oedd y tân yn y Majestic ym mis Ionawr 1994. Clwb nos a arferai fod yn bictiwrs oedd y Majestic, ac roedd o wedi cael ei ailfedyddio'n 'The Dome', ond doedd neb bron yn defnyddio'r enw – Majestic oedd o i bawb, felly dwn i ddim pam wnaethon nhw botshian. Dwi'n cofio cael galwad ffôn yn hwyr un gyda'r nos yn deud bod y lle ar dân, ac mi oedd y to'n wenfflam go iawn pan gyrhaeddais i, a llwyth o bobol allan ar y stryd yn gwylio. Mae 'na ddau gapel wrth ymyl safle'r Majestic – Capel Seilo a Chapel Pendref, ac roedd y rhain dan fygythiad oherwydd maint y fflamau. Y cwbl oedd rhwng y Majestic a'r ddau gapel oedd rhyw lwybr cyhoeddus cul, ond rywsut neu'i gilydd llwyddodd y diffoddwyr i rwystro'r fflamau rhag lledu. Yn ddiweddarach carcharwyd dyn lleol am dair blynedd a hanner am gynnau'r tân yn fwriadol.

Mae'r rhan fwyaf o brif adeiladau Caernarfon yn hen, ac roedd hynny'n wir am y Majestic hefyd, ac unwaith yr oedd y fflamau'n cael gafael ynddyn nhw, roeddan nhw'n mynd i fyny mewn dim. Y tân mawr nesaf yn y gyfres, os ga i ei galw hi'n hynny, oedd yn siop y Nelson, neu McIlroys fel yr oedd hi erbyn hynny, er nad oedd pobol yn defnyddio'r enw newydd yn fanno chwaith! Dwi ddim yn meddwl bod 'na lawer o bwynt newid enwau llefydd yng Nghaernarfon gan fod y Cofis yn dueddol o sticio i'r hen enwau cyfarwydd. Beth bynnag, hwn oedd yr ail dân mawr yn y Nelson – mi soniais o'r blaen am un pan oedd Mam yn gweithio yno. Unwaith eto, mi ges i alwad ffôn gan un o fy ffrindiau i'm rhybuddio, ac mi fues i yno o tua 11 o'r gloch y nos nes iddi wawrio. Be dwi'n gofio fwyaf am hwnnw ydi'r mwg. Roedd o i'w weld o bell. Wna i fyth anghofio mynd yn ôl yn y bore i weld y lle, a medru gweld adeiladau tu cefn i'r siop nad oedden nhw i'w gweld cynt. Roedd y difrod yn sylweddol iawn, ac mi losgwyd y siop ddillad oedd drws nesa yn ulw hefyd. Ar ôl i'r arbenigwyr tân wneud eu gwaith, mi gawson ni fynd i mewn i gragen yr adeilad i dynnu lluniau, ac yno, ar y llawr, wedi llosgi bron yn ulw, roedd pen ceffyl pren. Rŵan, mi fydd pawb fu yn siop y Nelson erioed yn cofio'r ceffyl pren hwnnw. Roedd o wedi bod yno ers iddi agor, dwi'n siŵr, er mwyn i blant gael chwarae arno fo, ac roedd hi'n reit drist ei weld o'n ddu, yng nghanol y lludw a'r llwch.

Mi fu tân difrifol iawn mewn adeilad o'r enw Victoria Fayre, siop beics a oedd i lawr heibio hen fanc Lloyds yn Stryd y Porth Mawr. Roeddan nhw'n arfer ffilmio rhyw gyfres deledu i S4C yn fanno, efo John Ogwen ynddi os dwi'n cofio'n iawn. Cafodd ei ailadeiladu ar ôl y tân, a bu'n gaffi am sbel, ond swyddfeydd sydd yno erbyn heddiw.

Dioddefodd Ysgol Gynradd Tal-y-sarn ddau dân difrifol o fewn blwyddyn i'w gilydd, ar 1 Ionawr 1992 ac union flwyddyn yn ddiweddarach. Pan ddigwyddodd y tân cyntaf roeddwn i yn y Gôt yn mwynhau peint Nos Galan, pan ges i alwad ffôn toc wedi hanner nos yn deud bod yr ysgol yn wenfflam. Fedrwn i ddim gyrru, achos ro'n i wedi cael 'un neu ddau' felly roedd yn rhaid ffonio tacsi i fynd â fi adra i ddechrau, er mwyn nôl fy nghamera, ac ymlaen wedyn i'r ysgol. Efo dipyn o gwrw yn fy ngwaed, ro'n i'n teimlo'n ddewrach nag arfer, ma' raid, ac mi gerddais i mewn i'r adeilad yn y gobaith o gael gwell lluniau. Ond roedd y dynion tân i gyd yn dal yno, yn gwisgo masgiau ac offer anadlu, felly mi ges i fy llusgo allan o 'na yn reit handi. Doeddan nhw ddim yn hapus, a deud y lleiaf!

Dwi'n cofio tân difrifol arall yng Ngwesty Plas Bowman, Caernarfon, ar y gornel rhwng y Stryd Fawr a Stryd yr Eglwys. Roedd hwnnw'n dân anferth, a llosgwyd y lle'n ulw. Mae darn ohono wedi cael ei adfer, ond mae rhan helaeth o'r adeilad yn dal yn gragen wag. Roedd hwnnw'n adeilad hynafol iawn hefyd, ac mae'n biti garw ei weld o fel y mae.

Mi fydda i'n meddwl am rai o'r tanau yma – fel Capel Moreia, er enghraifft, neu'r *Herald* a Bob Parry, a'r Nelson – ac yn pendroni be fasa wedi digwydd i'r adeiladau hynny petaen nhw heb losgi. Be fysa'u hanes nhw, tybed? Fasan nhw wedi cael eu dymchwel erbyn hyn beth bynnag, neu eu haddasu mewn rhyw ffordd? Roedd safle'r *Herald* yn graith weledol ar y Maes am flynyddoedd ar ôl y tân, nes i adeiladau newydd gael eu codi yno, sy'n edrych yn debyg iawn i'r hen rai. Adeiladwyd siopau newydd ar safle'r Nelson, ond mae rhan ohono'n dal yn gragen wag, ac mae safleoedd y Majestic a Chapel Moreia yn feysydd parcio preifat.

Yn ogystal â thanau, dwi wedi bod mewn damweiniau lu ar lonydd yr ardal dros y blynyddoedd, ac mae'n drist deud fy mod yn dal i gael fy ngalw allan i dynnu lluniau digwyddiadau o'r fath. Mae ceir wedi mynd yn gyflymach, mae'r lonydd wedi gwella ac yn dal i wella drwy'r adeg, ond yn anffodus dydi sgiliau dreifio a synnwyr cyffredin y gyrwyr ddim wedi gwella i'r un graddau.

Mae 'na nifer wedi colli eu bywydau ar y mynyddoedd dros y blynyddoedd hefyd, ac mae hynny'n dal i ddigwydd heddiw. Mewn ffordd, mae cael y camera yn fy llaw yn help i mi ddygymod â rhai o'r damweiniau erchyll dwi wedi eu gweld. Llygad y camera sy'n dyst i'r digwyddiad, nid fy llygaid i. Ond mae 'na un ddamwain fawr wedi aros yn y cof.

Mae gen i ffôn poced ers 1989, pan oeddan nhw'n weddol newydd. Dwi'n deud ffôn poced, ond prin y basa hwn yn ffitio ym mhoced neb! Roedd o'n anferth o beth, fatha bricsan fawr efo coblyn o erial yn sownd ynddo fo. Mi brynais i'r ffôn ym mis Mawrth gan Nigel Hughes, y ffotograffydd o Borthmadog, am ei fod o wedi cael un newydd. Mi gollais fy nhad ym mis Chwefror y flwyddyn honno, ac mi brynais o er mwyn i Mam allu cael gafael arna i petai angen. Mi wnaeth fyd o wahaniaeth i mi efo fy ngwaith hefyd, achos cyn hynny roedd y swyddfa'n gorfod ffonio o gwmpas i gael gafael arna i, a dyna un rheswm pam fod dyddiadur y swyddfa yn hollbwysig, achos roeddan nhw'n gwybod lle ro'n i – i fod, o leiaf – wrth edrych yn hwnnw.

Dydd Iau oedd hi ym mis Awst 1993, ac ro'n i allan ar joban ym Mhwllheli pan ges i alwad yn rhoi gwybod i mi am ddamwain fawr oedd wedi digwydd yn Llanberis. Doedd gen i ddim mwy o fanylion na hynny, ac ro'n i'n disgwyl damwain ffordd. Allai dim ar y ddaear fod wedi fy mharatoi am yr hyn welais i ar ôl cyrraedd y pentref. Roedd hofrennydd o RAF Fali wedi dod i lawr yn Llyn Padarn, a daeth yn amlwg fod nifer wedi eu lladd. Yn anffodus, tri o bobol ifanc yn eu harddegau oedd y rhai a fu farw – cadetiaid o ardal Manceinion oedd yn cael eu profiad cyntaf o hedfan efo'r RAF. Llwyddodd y tri aelod o'r criw a chadét arall i ddianc i'r lan, a chymerodd dri diwrnod i godi'r hofrennydd o'r dŵr. Yn ôl yr ymchwiliad, problem efo'r rotor ôl achosodd i'r hofrennydd ddod i lawr yn ddireolaeth. Dadorchuddiwyd llechen i gofio'r rhai a fu farw ar y safle rai blynyddoedd wedyn. Pennod drist iawn yn hanes yr ardal.

9

Gwleidyddiaeth, protestio a streicio

Roedd yr 1980au a'r 1990au nid yn unig yn gyfnod cyffrous tu hwnt i fod yn newyddiadurwr, ond roedd 'na gymeriadau o gwmpas hefyd, pobol fel y diweddar Elwyn Jones, asiant a llefarydd croch ar ran y Toriaid yng Nghaernarfon. Mi oedd o'n medru bod yn ymfflamychol, ac mi oedd ganddo ddawn i gorddi'r dyfroedd, ond beth bynnag ddywedwch chi am Elwyn, roedd o'n goblyn o gymeriad. Mi oedd o'n dân ar groen Cymdeithas yr Iaith, ac am gyfnod roedd un ai Angharad Tomos neu Branwen Niclas – a dyna i chi ddau gymeriad arall – yn herio Elwyn a'i blaid yn wythnosol bron, ond roedd yntau hefyd yn ei deud hi amdanyn nhw bob cyfle a gâi. Roedd aelodau'r Gymdeithas wedi torri i mewn i swyddfa'r Toriaid yng Nghaernarfon yn 1990 ac wedi gwneud llanast yno mewn protest yn erbyn polisïau'r blaid. Roedd Elwyn wedi dwyn achos llys yn eu herbyn, a bu'n llwyddiannus, ond roedd 'na gymaint o aelodau o'r Gymdeithas y tu allan i'r llys nes y gwrthododd Elwyn adael yr adeilad. Roedd o wedi trefnu cynhadledd i'r wasg yng Nghlwb y Toriaid yn dilyn yr achos, ac roedd rhai o aelodau'r wasg yno'n aros amdano. Be wnaeth Elwyn ond gadael y llys drwy'r drws cefn, gan feddwl ei fod wedi cael y gorau ar y protestwyr, ond yn ddiarwybod iddo fo roedd 'na griw arall o'r Gymdeithas wedi mynd i'r Clwb i ddisgwyl amdano fo! Be wnaeth i mi chwerthin yn fwy na dim byd y diwrnod hwnnw oedd bod Angharad Tomos wedi penderfynu cynnal cynhadledd i'r wasg yn y Clwb, cyn i Elwyn gyrraedd yn ôl o'r llys. Roedd o'n ddoniol iawn a deud y gwir, ond pan gyrhaeddodd Elwyn mi aeth yn gandryll, ac wrth gwrs mi gafodd criw'r

Gymdeithas eu taflu allan, ond nid cyn cael y llaw uchaf ar Elwyn a chreu embaras mawr iddo fo a'i blaid.

Wna i byth anghofio protest arall gan y Gymdeithas pan ddaeth David Hunt, Ysgrifennydd Gwladol Cymru ar y pryd, i'r Dre. Roedd o i fod i gyrraedd Clwb y Toriaid erbyn rhyw amser penodol ond roedd o'n hwyr. Unwaith eto, roedd Elwyn Jones yn wallgo pan welodd o fod aelodau Cymdeithas yr Iaith, efo Branwen Niclas ar y blaen, wedi ffeindio'u ffordd i gyntedd y Clwb. Roedd David Hunt dros awr yn hwyr, ond pan gyrhaeddodd o, welais i neb yn medru tawelu dyfroedd tymhestlog mor handi. Roedd 'na griw o blant yno ar y pryd, a be wnaeth o ond mynd yn syth atyn nhw a siarad efo nhw, felly mi dynnodd y gwynt o hwyliau'r protestwyr braidd. Ond y peth dwi'n ei gofio orau ydi cynrychiolydd y blaid yn cyflwyno David Hunt fel hyn: 'I'm very pleased to welcome you to Caernarfon, David Lloyd George.' Roedd hynny'n dipyn o embaras i'r blaid hefyd.

Roedd protestiadau'r Gymdeithas yn rhai anferth yn y dyddiau hynny, ac roedd ganddyn nhw ymgyrchoedd dros Ddeddf Iaith newydd, Deddf Eiddo a nifer o bynciau eraill. Faswn i'n synnu dim mai Rali Deddf Eiddo'r mudiad ym mis Tachwedd 1991 oedd y cyfarfod protest mwyaf welodd Caernarfon erioed. Roedd 'na filoedd yno, ac roedd y Maes a'r strydoedd cyfagos yn llawn pobol, a'r rheiny wedi dod o bob cwr o Gymru.

Cynhaliwyd rali fawr arall yn y dref yn erbyn Treth y Pen, efo Dafydd Wigley'n arwain, ac roedd 'na gannoedd yn gorymdeithio y diwrnod hwnnw hefyd.

Un arall dwi'n gofio ydi Rali Penyberth ym Mhwllheli yn 1986 i nodi hanner can mlwyddiant llosgi Ysgol Fomio'r RAF gan Saunders Lewis, Lewis Valentine a D. J. Williams. Roedd 1,500 yn y rali i glywed rhai fel Gwynfor Evans, Dafydd Wigley, Dafydd Elis-Thomas a Dafydd Iwan yn annerch.

Dwi'n cofio refferendwm datganoli 1979, ac un 1997 wrth gwrs, ond doedd 'na ddim hanner cymaint o fwrlwm y tro cyntaf. Yn '97 mi oedd 'na lawer o bethau'n digwydd i hybu'r ymgyrch 'Ie'. Er enghraifft, dwi'n cofio tua hanner cant o actorion yn dod at ei gilydd yn yr hen Theatr Gwynedd ym Mangor i gefnogi'r ymgyrch, a dwi'n cofio cyfarfod y pêl-droediwr John Hartson am y tro cyntaf mewn digwyddiad yn y Ganolfan ym Mhorthmadog, efo Dafydd Wigley, a oedd yn un o arweinwyr amlyca'r ymgyrch. Yn bersonol, ro'n i'n ffyddiog ein bod ni'n mynd i lwyddo'r tro hwnnw, ac mi oedd diwrnod y bleidlais yn un o'r diwrnodau mwyaf bythgofiadwy yn fy ngyrfa.

Ro'n i wedi bod wrthi'n tynnu lluniau drwy'r dydd, ac mi es i'r cyfrif rhanbarthol yng Nghaernarfon gyda'r nos. Roedd 'na griw o newyddiadurwyr yno, yn cynnwys fy hen ffrind Siôn Tecwyn, ac wrth i'r canlyniadau ddechrau dod i mewn roedd pethau'n edrych yn reit dda; ond wrth i'r oriau fynd heibio roedd hi'n mynd yn fwy a mwy tyn, nes bod y garfan 'Na' ar y blaen o gryn dipyn. Yr unig ddau ganlyniad oedd ar ôl oedd Gwynedd a Chaerfyrddin, a dwi'n cofio sefyll yn y galeri yn gwylio'r cyhoeddiad, ac er bod Gwynedd wedi pleidleisio o blaid, roedd pawb yn meddwl, 'dyna hi, mi ydan ni wedi methu eto', achos roedd hi'n amlwg fod angen mwyafrif anferth yng Nghaerfyrddin i droi'r sefyllfa rownd. Mi benderfynodd pawb yn y cyfrif yng Nghaernarfon nad oedd o'n mynd i ddigwydd, a dyma ddechrau hel ein paciau i adael y neuadd mewn awyrgylch ddigalon iawn a deud y gwir. Ond mae'r hyn ddigwyddodd nesaf yn rhan o hanes erbyn hyn. Mi ddaeth John Meredith, gohebydd y BBC yng nghyfrif Caerfyrddin, ar y monitor teledu, ac er nad oedd o'n cael datgelu hynny'n swyddogol – dyletswydd y swyddog etholiadol oedd hynny – mi awgrymodd John yn gryf, efo gwên ddireidus ar ei wyneb, bod canlyniad Caerfyrddin yn mynd i ennill y dydd i'r garfan 'Ie'. Pan glywson ni hynny aeth criw ohonan ni allan i weiddi ar bobol i ddod yn ôl i mewn i wrando ar y canlyniad olaf un! O fewn munudau roedd yr awyrgylch wedi newid yn llwyr, a phan gyhoeddwyd y canlyniad aeth y lle'n wenfflam bron. Roedd pobol wedi bod yn hwyliog a ffyddiog, wedyn yn ddigalon, ac yna yn yr uchelfannau unwaith eto. Noson anhygoel.

Fel dwi'n deud, mi oedd o'n gyfnod cyffrous, ond dwi'n meddwl bod 'na lawer o bobol wedi eistedd yn ôl a gorffwys ar eu rhwyfau ers cael y Cynulliad. Yn sicr mi ddistewodd y protestiadau mawr am gyfnod reit hir. Er hynny, roedd yr anghydfod yn ffatri Friction Dynamics Caernarfon – hen ffatri Ferodo – ar ddechrau'r ganrif bresennol yn eithriad i'r rheol honno. Ond ers tua wyth mlynedd mae pethau wedi dechrau cicio'n ôl – mae'r rhai oedd wedi tawelu wedi ailgodi llais, ac mae rhai newydd wedi ymuno â nhw. Mae toriadau'r Llywodraeth Geidwadol bresennol, a'r glymblaid o'i blaen hi wedi codi pobol oddi ar eu tinau unwaith eto. Mae 'na brotestio wedi bod yn erbyn y toriadau, yn erbyn cau ysgolion, yn erbyn newidiadau i'r Gwasanaeth Iechyd a nifer o bynciau llosg eraill.

Roedd y ffatri, dan yr enwau Friction Dynamics a Ferodo, wedi bod yn gyflogwr pwysig iawn yn hanes Caernarfon, fyth ers agor y gwaith yn y 1960au cynnar. Gwneud rhannau i frêcs ceir oeddan nhw, ac roedd tua 1,000 yn gweithio yno ar un adeg. Yn 1997 prynwyd y busnes gan Americanwr, Craig Smith, ac yn fuan iawn dechreuodd newid amodau gwaith y 220 oedd ar ôl yn gweithio yno. Arweiniodd hyn at weithredu diwydiannol, ac yn Ebrill 2001 dechreuodd aelodau undeb y T&G bicedu'r ffatri. Canlyniad hynny oedd cael eu cloi allan. Wythnosau'n ddiweddarach, diswyddwyd aelodau'r undeb, a dechreuwyd ar streic a barodd dros ddwy flynedd a hanner. Roedd o'n adlewyrchiad o'r hyn a ddigwyddodd union ganrif ynghynt yn Chwarel y Penrhyn, yr anghydfod diwydiannol hiraf yn ein hanes, lle bu'r chwarelwyr ar streic am dair blynedd. Roedd llinell biced o flaen ffatri Friction drwy gydol y cyfnod, a'r ffordd y cynhaliodd y gweithwyr eu hymgyrch gyda balchder ac urddas – gyda chefnogaeth y swyddog undeb diflino, y diweddar Tom Jones, Dafydd Wigley a Hywel Williams – yn glod mawr iddyn nhw. Ro'n i'n mynd yno'n aml i dynnu lluniau, yn enwedig pan fyddai cefnogwyr adnabyddus yn galw heibio i roi hwb i'r ymgyrch – pobol megis ysgrifennydd cenedlaethol yr undeb, Bill Morris, yr Arglwydd Morris erbyn hyn. Cynhaliwyd tair rali fawr yn y dref i ddangos cefnogaeth i'r gweithwyr, gan ddangos fod y bobol leol yn gefnogol iawn i'w hachos. Er enghraifft, roedd Louisa Roberts, neu Anti Lou fel y gelwid hi, yn pobi cacennau i'r picedwyr bob wythnos, ac roedd busnesau lleol yn rhoi nwyddau i deuluoedd y streicwyr. Yn 2002 dyfarnodd llys cyflogaeth fod y gweithwyr wedi cael eu diswyddo'n annheg, ond cyn iddyn nhw dderbyn unrhyw iawndal galwodd Craig Smith y gweinyddwyr i mewn, a diswyddwyd pob un o'r gweithwyr oedd ar ôl yno. Yn syth wedyn sefydlodd Smith gwmni newydd o'r enw Dynamex Friction, gan feddwl ei fod wedi cael y llaw uchaf – ond yn y pen draw, y gweithwyr enillodd y dydd. Dyfarnodd tribiwnlys fod cysylltiad amlwg rhwng y ddau gwmni, ac y dylai'r gweithwyr fod wedi cael cynnig swyddi yn y fenter newydd. Talwyd iawndal iddyn nhw gan y llywodraeth ... ond nid gan Craig Smith. Serch hynny, mae nifer o'r gweithwyr wedi symud ymlaen i bethau gwell. Bu Gerald Parry yn gynghorydd tref yng Nghaernarfon am sbel, a sefydlodd tri o'r gweithwyr – John Davis, Richard Lawson a James Clarke – ganolfan cartio ar stad ddiwydiannol

Cibyn yn y dref. Busnes llwyddiannus iawn. Yn 2005 cyhoeddwyd llyfr – *Ar y Lein* – yn adrodd hanes y streic, wedi ei sgwennu gan ddau o ohebwyr *Yr Herald*, Trystan Pritchard ac Ian Edwards, a oedd wedi dilyn y stori o'r dechrau, ac yn cynnwys fy lluniau i o'r anghydfod. Cafodd ei lansio yn Eisteddfod Genedlaethol Eryri y flwyddyn honno, a chafodd cyfieithaid Saesneg – *On the Line* – ei lansio yng nghynhadledd y T&G yn yr hydref. Roedd unrhyw elw yn mynd tuag at sefydlu cronfa i roi hwb ym myd addysg i bobol ifanc ardal Caernarfon, ac roedd y tri ohonom yn teimlo'n falch o fod wedi cael gwneud cyfraniad bychan i'r achos.

Dwi wedi cael y fraint o deithio i San Steffan ar sawl achlysur, i ddilyn Aelodau Seneddol fel Dafydd Wigley a Hywel Williams wrth eu gwaith. Efo'n gohebydd Wena Alun yr es i lawr y tro cyntaf, ar ôl cael gwahoddiad gan swyddfa Dafydd Wigley i gyhoeddi erthyglau ar ei waith yn Aelod Seneddol. Penderfynwyd gwahodd rhai o ddigyblion chweched dosbarth Ysgol Syr Hugh Owen i ddod i lawr am ddiwrnod efo ni, ac mi ddaeth tuag wyth ohonyn nhw. Roeddan ni'n aros yno am ddeuddydd, gan deithio i lawr ar ddydd Iau a dychwelyd ddydd Sadwrn. Roedd Bryn Terfel newydd symud i Lundain i ddechrau ar ei gwrs yn y coleg, a threfnwyd i ni fynd allan am fwyd efo fo, ac i wneud cyfweliad ag o i'r papur. Mi o'n i'n nabod Bryn ers tipyn gan fy mod i wedi tynnu ei lun ddwsinau o weithiau mewn eisteddfodau, ac roedd Wena, sy'n dod o Dal-y-sarn yn wreiddiol, yn gyd-ddisgybl efo fo yn Ysgol Dyffryn Nantlle. Mi wnaethpwyd y cyfweliad, ond yr hyn dwi'n ei gofio fwyaf am y noson ydi teithio drwy Lundain efo fo yn ei gar Sierra Cosworth gwyn. Mi oedd o'n gar pwerus, ac roedd Bryn yn gwybod sut i'w drin o, er ei fod o dipyn yn drwm efo'i droed dde, ddeudwn ni fel'na!

Mi ges i daith gofiadwy arall i Lundain yn 1992 pan sicrhaodd Plaid Cymru bedwar Aelod Seneddol am y tro cyntaf: Dafydd Wigley, Elfyn Llwyd, Ieuan Wyn Jones a Cynog Dafis. Roeddan nhw wedi trefnu trên arbennig i'w cludo yno, ac roedd 'na gannoedd arni yn cychwyn o Fangor. Roedd Elfyn Llwyd a Ieuan Wyn yn mynd i San Steffan am y tro cyntaf, ac roeddan nhw a Wigley ar y trên, a Cynog Dafis yn eu cyfarfod yn Llundain. Roedd y diweddar Eirug Wyn ymhlith y teithwyr, a chefais lot o hwyl yn ei gwmni. Ro'n i'n ffrindiau mawr efo Eirug ers tro oherwydd fod ei siop – Siop y Pentan – yn rhan o'r un adeilad â swyddfeydd yr *Herald* yn Stryd y Porth Mawr. Roeddech chi'n gorfod mynd drwy'r siop i fynd i fyny'r grisiau i swyddfeydd yr *Herald* ar un adeg. Yn Llundain roedd cyfarfod arbennig wedi'u drefnu tu allan i Dŷ'r Cyffredin er mwyn hebrwng yr Aelodau Seneddol i mewn. Wna i byth anghofio gwraig weddol oedrannus yn camu mlaen a rhoi hergwd i Rod Richards wrth iddo fynd i mewn i'r Tŷ, ac mi gwynodd o am 'ymddygiad gwarthus cefnogwyr Plaid Cymru' ar y teledu y noson honno, a dangoswyd clip o'r digwyddiad anffodus. Mi fedra i ddatgelu am y tro cyntaf mai'r ddiweddar Mrs Megan Jones o Langefni (mam fy nghydweithiwr Tudur Huws Jones) oedd y wraig dan sylw, wedi colli arni'i hun yng nghanol iwfforia'r diwrnod, mae'n amlwg!

Ro'n i angen llun o'r pedwar AS efo'i gilydd o flaen y Senedd i gofio'r achlysur. Roedd ffotograffwyr Fleet Street i gyd yn sefyll efo'i gilydd mewn un lle, ond ro'n i'n is i lawr yn aros amdanyn nhw, a phan welodd Wigley fi yn fanno dyma fo'n cyhoeddi yn ei lais awdurdodol: 'Fan'cw mae'n dyn ni. Dowch.' Ac mi ddaeth y pedwar ohonyn nhw ata i, a sicrhau 'mod i'n cael lluniau gwych ohonyn nhw o dan y porth 'ma. Roedd ffotograffwyr y papurau cenedlaethol yn methu deall sut oedd hyn wedi digwydd a hwythau'n aros amdanyn nhw, ac fel ro'n i'n gorffen tynnu lluniau dyma 'na griw anferth ohonyn nhw'n rhuthro i lawr ata i, ac mi ges i fy ngwasgu yn y cefn yn erbyn rhyw ffens yn y sgarmes.

Yn ddiweddarach, ro'n i'n sgwrsio efo Eirug ar y lawnt o flaen Tŷ'r Cyffredin, ac yn sydyn dyma fo'n deud, 'edrycha ar ôl rhain i mi am funud,' ac i ffwrdd â fo gan fy ngadael i efo llwyth o ryw fagiau plastig. Be oedd ynddyn nhw ond pob math o nialwch i werthu yn ei siop – *novelty items* chwedl y Sais, yn cynnwys rholiau o bapur tŷ bach efo wyneb Maggie Thatcher arnyn nhw. Mynd ar ras i rywle i brynu mwy o'r un math o beth gan ryw Arthur Daley oedd o. Ia, cymeriad a hanner oedd Eirug Wyn.

Mi ges i wahoddiad arall i fynd i lawr i'r Senedd yn 2001 pan oedd Dafydd Wigley yn ffarwelio â San Steffan, am ei fod yn sefyll i lawr oherwydd ei iechyd. Hogyn o Lerpwl – Barry Ellams – oedd yn ohebydd efo fi ar y pryd, ac roeddan ni wedi trefnu i fynd i weld y cyn-brif weinidog, John Major – partner pleidleisio Dafydd – a oedd yn rhoi'r gorau iddi ar yr un pryd; ac mi fues i lawr unwaith eto yn ddiweddar efo'r gohebydd Dion Jones, yn cyfarfod Hywel Williams y tro hwnnw. Ydi, mae o'n gyfle i gael trip i Lundain, ond mi ydan ni'n gweithio yno hefyd. Wir yr! Mae'n bwysig cadw mewn cysylltiad efo'n Haelodau Seneddol, petai hi ddim ond er mwyn cadw golwg ar be maen nhw'n wneud yn y ddinas fawr ddrwg!

Lansio'r gyfrol Ar y Lein *am hanes trafferthion ffatri Friction Dynamics*

Fi, Betty Owen (un o staff derbynfa'r Herald*) a Siôn Tecwyn yn agoriad adeilad newydd Coleg Menai ar hen safle'r* Herald

Elfed Roberts

Mae Arwyn Herald yn enw ac yn wyneb cyfarwydd i filoedd o bobol fel ffotograffydd yn y gogledd, yn yr Eisteddfod Genedlaethol ac Eisteddfod yr Urdd, ond dwi'n ei adnabod fel Cyrli Wyrli. Tydw i ddim yn gwybod yn union pam y cafodd y llysenw hwnnw – naill ai am fod ganddo wallt cyrliog (bryd hynny!!) neu hwyrach am ei fod yn hoff o fwyta'r bar taffi meddal hwnnw oedd yn boblogaidd iawn flynyddoedd yn ôl.

Yn hydref 1975 y gwelais Cyrli Wyrli am y tro cyntaf a hynny yn hen swyddfa Papurau'r *Herald* ar y Maes yng Nghaernarfon. Roeddwn i'n gweithio i bapurau'r *Herald* fel riportar ers diwedd y 60au ac fe ymunodd Arwyn â'r cwmni fel prentis argraffydd 16 oed. Bryd hynny roedd o'n fachen tawel, digon swil, ond wnaeth hynny ddim para'n hir iawn. A bod yn deg ag o, doedd ganddo fo fawr o ddewis ond colli ei swildod mewn gwirionedd. Roedd tua ugain o ddynion yn gweithio yn argraffwyr i'r cwmni ac roedd tynnu coes a dadlau am bob math o bynciau yn rhan o fywyd bob dydd yno. Roedd y prentis newydd yn gorfod gwasanaethu fel gwas bach i bawb ac roedd y dyletswyddau'n cynnwys gwneud te o leia deirgwaith bob dydd, mynd i Palas Caffi i nôl brechdan neu deisen neu i Siop Bertorelli i nôl sigaréts neu faco, ac yna bron bob amser cinio mynd i nôl chips i Siop chips Papes, yr orau yn y dref o bell ffordd. Byddai'r prentis hefyd yn cael ei ddanfon gyda pwced i nôl dŵr i'r Cei gan nad oedd dŵr tap yn addas i wlychu'r papur er mwyn tynnu *proof* o'r dudalen. Fe'i danfonid i nôl y dŵr arbennig hwn pan fyddai'r llanw allan a byddai'n clymu llinyn hir yn sownd i'r bwced er mwyn medru ei gollwng i lawr wal y Cei.

Do, cafodd pob prentis yn swyddfa'r *Herald*, gan gynnwys y cyw riportars, goleg da; a dwi'n siŵr na fyddai Cyrli Wyrli yn hanner cystal dyn petai o heb gael y profiadau hyn.

Doedd gan bapurau'r *Herald* ddim ffotograffwyr llawn amser bryd hynny. Arferai Bobi Wood o Drefor a Wynne Williams, ac un neu ddau arall o weithwyr llawrydd, dynnu lluniau i'r cwmni. Mae'n amlwg fod hyn wedi codi chwant ar Cyrli, ac unwaith y cafodd ei draed dan y bwrdd, fel petai, fe fwriodd ati i ddysgu'r grefft o fod yn ffotograffydd – ac mae'r gweddill, wrth gwrs, yn rhan o hanes.

Fe gollais i gysylltiad â fo am ychydig gan i mi adael papurau'r *Herald*, ond wnaeth hynny ddim para'n hir gan i mi ymuno gyda staff yr Urdd ac yna gyda'r Eisteddfod Genedlaethol, ac rydyn ni wedi cyd-weithio â'n gilydd yn flynyddol er 1984. Fel y gŵyr pawb o'i gydnabod mae Arwyn wrth ei fodd gyda phobol ac mae'r ddwy ŵyl genedlaethol yn rhoi cyfle iddo wneud y ddeubeth y mae wedi arbenigo ynddynt, sef tynnu lluniau a hela straeon. Mae'n gwybod hanes pawb a phopeth ac rwyf wedi treulio sawl hanner awr yn ei gwmni ar faes y Brifwyl yn gwrando ar hynt a helynt hwn a'r llall.

Ond mae ganddo un cryfder mawr arall hefyd, sydd yn rhannol gyfrifol am ei lwyddiant yn ffotograffydd ac am ei boblogrwydd ymysg ei gydnabod, a hynny yw ei barodrwydd i gadw at ei air. Os yw Cyrli Wyrli yn addo gwneud ffafr â chi gallwch fentro y bydd yn cadw at ei air, doed a ddêl, ac mae hynny'n yn rhywbeth gwerthfawr iawn heddiw.

10
Yr oes ddigidol a phrofiadau i'w trysori

Mae gwaith ffotograffydd wedi newid yn arw mewn sawl ffordd ers pan ddechreuais i dynnu lluniau, a'r rheswm pennaf am hynny ydi bod technoleg wedi carlamu ymlaen yn y maes yn ddiweddar. Pan ddechreuais i, du a gwyn oedd pob llun, ac ro'n i'n gyndyn iawn o dynnu mwy na rhyw bump ar bob job. Roedd ffilm, cemegau datblygu, papur printio a phopeth arall yn costio, felly roedd yn rhaid i mi gyfyngu fy hun i hyn a hyn o luniau. Roedd angen sychu'r negyddion wedyn, a thros y blynyddoedd dwi wedi mynd trwy fwy o beiriannau sychu gwallt nag ambell salon, dwi'n siŵr, cyn cael peiriant pwrpasol i sychu negs. Roedd hwnnw'n handi achos roedd yn rhaid cadw llwch oddi arnyn nhw hefyd, wrth gwrs. Wedyn roedd angen sychu'r printiadau, sef y lluniau gorffenedig. Felly rhwng pob dim roedd hi'n broses reit hir, ac mi fyddwn i'n gweddïo weithiau na fyddai dim yn mynd o'i le. Dwn i ddim faint o ddillad dwi wedi eu difetha dros y blynyddoedd efo cemegau datblygu. Mi oedd jîns efo darnau gwyn fel marciau cannydd drostyn nhw yn ffasiynol ar un adeg, ond ro'n i'n eu creu nhw ac yn eu gwisgo nhw ymhell cyn i unrhyw gynllunydd feddwl am y ffasiwn beth!

Yn amlach na pheidio, does 'na ddim ail gyfle yn y job yma. Ond roedd hynny'n fwy gwir byth yn nyddiau ffilm. Roedd yn rhaid i mi wneud yn siŵr 'mod i'n cael llun iawn y tro cyntaf, ond wrth gwrs doedd dim posib i mi wybod hynny i sicrwydd nes i mi ddechrau datblygu'r ffilm, ac roedd 'na lot o gymhlethdodau. Roedd yn rhaid bod yn sicr bod yr agoriad, yr *aperture*, a chyflymder y ffilm yn gywir cyn dechrau tynnu, a meddwl ymlaen llaw sut oedd y fflach yn mynd i weithio ac yn y blaen. Hynny ydi, roedd yn rhaid bod yn sicr fod popeth yn gweithio fel y dylai. Mae'n hollol wahanol heddiw efo camerâu digidol, lle medrwch chi dynnu llun a gweld yn syth os ydi o'n un da ai peidio. Mi fedrwch chi dynnu degau o luniau os ydach chi'n teimlo felly, ac mae hi'n ddigon hawdd dileu'r rhai sy ddim yn addas. Dwi'n dal yn dueddol o beidio tynnu gormodedd o luniau efo gwahanol straeon – gwneud mwy o waith i mi fy hun fasa hynny yn y diwedd.

Yng nghanol y nawdegau penderfynwyd newid i ddefnyddio lluniau lliw yn y papur. Roedd y broses argraffu wedi newid ac roedd peiriannau newydd yn golygu y gallai pob tudalen o'r papur, fwy neu lai, fod mewn lliw. Roedd hynny'n ddeniadol i hysbysebwyr hefyd, felly roedd o'n benderfyniad busnes da. Roedd y broses ddatblygu yr un fath yn union mewn lliw a du a gwyn, ond bod y cemegau'n wahanol, ac roedd angen bod yn fwy gofalus o ran cadw tymheredd y cemegolion yn gyson. Be sy'n ddiddorol ydi fy mod i wedi bod yn datblygu mewn du a gwyn am flynyddoedd lawer, ond fel y digwyddodd pethau, cyfnod byr iawn oedd cyfnod datblygu lluniau lliw – yn achos Papurau'r *Herald* o leiaf. Yn fuan iawn ar ôl i'r *Herald* newid i liw cyrhaeddodd y cyfnod digidol, a dyna ddiwedd ar ddatblygu a stafelloedd tywyll a'r holl drugareddau eraill. Ond cyn i mi sôn am y broses ddigidol, mae 'na un stori yn dod i'r cof am y cyfnod lliw, sy'n ymwneud â'r Eisteddfod.

Wrth gwrs, mewn digwyddiadau fel yr Eisteddfod doedd 'na ddim ffasiwn beth â stafell dywyll ar gyfer ffotograffwyr. Ond roedd 'na ffasiwn beth â stafell dywyll symudol – y cwbl oedd o oedd bag 'tywyll' pwrpasol, ac roeddach chi'n rhoi'r negs i mewn a gwneud y gwaith datblygu yn hwnnw. Ro'n i a Tegwyn a ffotografwyr eraill yn hongian y negs i sychu yn stafell y wasg yng nghefn, neu wrth ochr, y Pafiliwn, a'r printiadau hefyd. Dwi'n cofio Elfed Roberts, Prif Weithredwr yr Eisteddfod, yn dod i mewn i'r stafell newyddion un tro a chwyno bod y lluniau'n cymryd gormod o le a'u bod nhw'n 'blydi niwsans ar ffordd pawb'. Ond chwarae teg iddo fo, mi holodd pa offer fasa'n gwneud ein gwaith ni'n haws. Mi ddywedon ni ein bod ni angen sinc i ddechrau, yn lle'n bod ni'n gorfod nôl dŵr mewn pwced.

'Reit, ocê, mi sortian ni hynny allan i chi erbyn flwyddyn nesa,' medda fo. Gwych, meddan ninnau.

Eisteddfod 1999 oedd y nesaf, yn Llanbedr-goch, Ynys Môn, a chyn i'r Ŵyl ddechrau aeth Elfed â ni i stafell y wasg yn wên o glust i glust.

'Dowch efo fi,' medda fo, a dyma fo'n ein hebrwng ni drwy ryw ddrws ac allan i ryw ardal fach yng nghefn y stafell newyddion, a be oedd yn y gornel yn fanno ond sinc efo canopi bach drosto fo.

'Grêt,' meddan ni, 'mi wneith hynna bethau'n haws i ni.'

Dyma'r diwrnod cynta'n dod, a dyma ni'n dechrau paratoi i ddatblygu'r lluniau cyntaf, a mynd â nhw allan yn barod i'w golchi yn y sinc. Ond pan drois i'r tapiau, doedd 'na ddim diferyn o ddŵr yn dod allan. Mi es i'n syth i'r swyddfa.

'Diolch am y sinc, ond oeddat ti'n gwybod bod 'na ddim dŵr yn y tapia?' gofynnais i Elfed.

'E?' medda fo, 'hold on rŵan, wnaeth 'na neb sôn am ddŵr, naddo!'

Roedd yn rhaid i ni chwerthin! Ond ta waeth, mi oedd o'n gam bach ymlaen, am wn i. Yn Llanelli oedd y Steddfod yn 2000, ac yn ôl ein harfer ro'n i a Teg a Margaret yn cyrraedd ar y dydd Iau er mwyn gosod popeth, a'r person cyntaf welson ni, fwy neu lai, oedd Elfed.

'Dowch yma,' medda fo, gan ddangos y sinc yn union yr

Mae ein cyfrifiaduron wedi newid lot erbyn hyn! Swyddfa'r Herald *yn edrych yn annaturiol o daclus yn y 1980au*

Criw'r Herald *yn dathlu ymddeoliad Dafydd Norman Jones*

un lle, tu allan i stafell y wasg, a chyda balchder dyma fo'n troi'r tap a datgan,

'Dyna chi, mae gynnoch chi ddŵr rŵan. Oes 'na unrhyw beth arall fedra i wneud i chi, bois?'

A dyma fi'n troi at Elfed a deud:

'Diolch yn fawr iawn i ti, ond dydan ni ddim isio'r sinc rŵan – mi ydan ni wedi mynd yn ddigidol!' Roedd yr awyr yn las!

Oedd, roedd dyddiau ffilm drosodd, a'r oes ddigidol wedi cyrraedd. O'u cymharu â ffilm, ella eich bod chi'n colli rhyw fymryn yn safon y lluniau, o ran dyfnder ac awyrgylch. Ond mae camerâu digidol wedi gwella'n sylweddol ers y rhai cyntaf, a does 'na ddim amheuaeth eu bod nhw wedi gwneud bywyd yn lot haws i ni ffotograffwyr y wasg, yn enwedig mewn digwyddiadau mawr fel yr Eisteddfod. Gyda llaw, peidiwch â meddwl am funud mai wythnos o hwyl ydi'r Eisteddfod Genedlaethol i mi. Mae hi'n wythnos galed iawn sy'n golygu oriau hir. Oes, mae 'na elfen o gymdeithasu ar ddiwedd diwrnod o waith, ond mae hynny'n ei gwneud hi'n wythnos fwy blinedig.

Yn y blynyddoedd cyn yr oes ddigidol, ro'n i wastad yn gorfod chwilio am rywun ar y Maes i ofyn iddyn nhw fynd â ffilmiau i fyny i mi i gael eu prosesu yn stafell dywyll *Yr Herald*, gan Hywel Hughes neu ffotograffydd arall. Wnes i rioed fethu dod o hyd i rywun i wneud y gymwynas flynyddol hon, ac erbyn y diwedd doeddwn i ddim yn gorfod chwilota am bobol – roeddan nhw'n dod i chwilio amdana i a chynnig eu gwasanaeth. Ond mi newidiodd hynny dros nos pan ddaeth camerâu digidol. Rŵan ro'n i'n medru anfon lluniau yn syth, dim ond wrth glicio botwm ar gyfrifiadur.

Mae sôn am y cymwynaswyr neu'r *couriers* answyddogol yn f'atgoffa o gwpwl o straeon. Ers blynyddoedd bellach dwi wedi dod yn ffrindiau efo'r actor

Phyl Harries – fo oedd yn arfer chwarae rhan Ken Coslett ar *Pobol y Cwm* os ydach chi'n dilyn y gyfres honno, ond mae o'n actor prysur tu hwnt. Tebyg at ei debyg, meddan nhw, ac mae hynny'n berffaith wir yn achos Phyl a finnau. Mae 'na rwbath reit debyg am y ddau ohonon ni – ar yr wyneb. Dau bwtyn byr, trwyn smwt, gwallt cyrliog du (roedd o'n arfer bod yn ddu, ocê!), efo mymryn o fol. Y tro cyntaf i mi ei gyfarfod oedd yng Ngŵyl Fai Dyffryn Nantlle un flwyddyn pan wnaeth o gyfweliad efo fi ar gyfer y rhaglen *Heno* (roedd o'n gweithio arni ar y pryd). Dyma fo'n sbio arna i, troi at y camera ac yn ôl ata i a deud:

'Dwi'n nabod hwn o rywle,' cystal â deud 'mod i'n debyg iddo fo.

Dwi'n cofio hogyn bach yn gofyn am fy llofnod i un tro, a finnau'n amau ei fod o wedi fy nghamgymryd am Phyl.

'Dwi'n meddwl dy fod ti wedi cael y boi rong. Dim Phyl Harries, neu Ken Coslett, ydw i 'sti,' medda fi wrtho fo.

'Gwbod,' medda fo, 'ond dach chi'n ffêmys yn G'narfon.'

Mi ddaeth 'na hogan bach ata i un tro a gofyn yr un peth, ac eto mi eglurais wrthi 'mod i'n meddwl ei bod hi wedi gwneud camgymeriad.

'Naddo,' medda hi, 'Arwyn Herald dach chi, te?'

Wedyn mi ddois i wyneb yn wyneb â Phyl ar Faes yr Eisteddfod un tro, a dyma fo'n gofyn i mi os o'n i'n tynnu lluniau.

'Ydw,' medda fi.

'O, mae hynna'n egluro'r peth, 'te,' medda Phyl.

Roedd 'na bobol wedi bod yn mynd ato fo yn gofyn oedd o isio iddyn nhw ddanfon lluniau yn ôl i swyddfa'r *Herald* yng Nghaernarfon!

Ond yn ôl at y ffordd mae technoleg wedi trawsnewid fy ngwaith. Dwi'n cofio un llun yn arbennig sy'n dangos hynny'n glir iawn.

Mi oedd Eirug Wyn yn dynnwr coes heb ei ail, ac roedd

o'n enwog am y geriach unigryw oedd ar werth yn ei siop, Siop y Pentan. Roedd o'n gwneud hyd yn oed mwy o ymdrech i gael y math yma o beth ar gyfer ei stondin yn yr Eisteddfod bob blwyddyn. Mi soniais eisoes am y papur tŷ bach efo wyneb Maggie Thatcher arno, ac roedd ganddo fathodynau 'Dwi'n casáu Steve Davies' pan oedd hwnnw'n ennill popeth yn y byd snwcer, ond un o'r pethau mwyaf poblogaidd dwi'n gofio oedd oriawr ddigidol efo'r geiriau megis 'amser', 'dyddiad' ac ati yn Gymraeg. Mi oedd ganddo fathodynnau 'Beirniad Answyddogol' hefyd, oedd yn union fel bathodynnau beirniaid yr Eisteddfod, ond bod y gair 'answyddogol' arnyn nhw. Yn ôl pob sôn roedd pobol yn mynd i mewn i'r pafiliwn a phob man efo'r rhain, ac mi oedd 'na dipyn o helynt ynglŷn â hynny. Roedd o fel rhyw Del Boy Cymraeg yn hynny o beth. Ond ar yr ochr arall roedd o'n fardd a llenor medrus iawn, fel y profodd fwy nag unwaith.

Diwedd pnawn dydd Mercher roedd y *C'narfon-Dembi* yn cael ei roi yn ei wely – roedd o yn y siopau fore dydd Iau, felly roedd unrhyw lun a dynnwyd yn yr Eisteddfod ar ôl tua amser cinio ddydd Mercher yn gorfod aros tan yr wythnos ganlynol i gael ei gyhoeddi. Roedd hi'n well pan oedd yr Eisteddfod yn y gogledd ac yn weddol agos at Gaernarfon, ond roedd hi'n dal yn fain iawn o ran amser. Dau o'r gloch bnawn dydd Mercher oedd seremoni'r Fedal Ryddiaith yn cael ei chynnal ers talwm, ond erbyn Llanelli yn 2000 roedd yr amser wedi newid i bedwar o'r gloch. Mae pob newyddiadurwr ar y maes yn ceisio cael gwybod ymlaen llaw pwy sydd wedi ennill y prif wobrau – mi gewch chi ambell un sy'n honni ei fod wedi 'clywed o le da' pwy sydd wedi ennill peth a'r peth, ond fel rheol, malu cachu maen nhw. Ond yn Llanelli y flwyddyn honno mi ges i wybodaeth o lygad y ffynnon am enillydd y Fedal Ryddiaith. Bryd hynny ro'n i'n arfer aros mewn gwesty ym mhob Eisteddfod (cyn fy nyddiau carafanio), a'r flwyddyn honno ro'n i'n aros yng Ngwesty Parc y Strade yn Llanelli. Roedd Eirug Wyn a'i wraig, Gwenda, yn aros yn yr un lle, ac roeddan ni ac eraill yn cael ambell beint efo'n gilydd ar ddiwedd dydd. Mi oedd o'n byw ar yr un stad â golygydd y *C'narfon-Dembi*, Jeff Eames, yn y Groeslon, ac ar y nos Fawrth roeddan ni'n trafod hynny, a hefyd yn trafod bendithion camerâu digidol, ymhlith pethau eraill. Ar ddiwedd y noson, fel yr oedd pawb yn ymlwybro tua'i wely, dyma Eirug yn gafael yn fy mraich i a deud yn ddistaw bach: 'Mi wena i arnat ti fory.'

Mi fues i'n pendroni'n hir am yr hyn ddywedodd o, ond roedd o'n gwbl amlwg: roedd Eirug wedi ennill y Fedal Ryddiaith. Doedd 'na ddim ateb arall, ac mi fentrais rybuddio Jeff yn y bore i fod yn barod, ac i gadw lle i lun mawr ar y dudalen flaen.

'Ti'n siŵr?' holodd Jeff.

'Berffaith siŵr,' medda fi. 'Fedra i ddim deud dim mwy wrthat ti, ond mi fydd gin i stori dda iti fory.'

Daeth amser y seremoni, ac fel ro'n i wedi'i amau, cododd Eirug Wyn ar ei draed a chael ei hebrwng i'r llwyfan. Yna, ar ôl cael ei fedal a derbyn copi o'i gyfrol fuddugol, dyma fo'n sbio'n syth at y camera a gwenu arna i! Ar ôl tynnu cwpwl o luniau mi es i'n syth i stafell y wasg a rhoi'r llun yn y cyfrifiadur a'i anfon o ar e-bost. Mi ges i air yn ôl i gadarnhau ei fod wedi cyrraedd pen ei daith a bod popeth yn iawn, a dyna fo. Ro'n i'n ôl yn y pafiliwn cyn i'r seremoni orffen. Dyna pa mor gyflym oedd o, ac roedd y llun yn y papur y diwrnod wedyn.

Dwi'n cofio Eirug yn gofyn i mi fynd am dro efo fo i'r Castell yng Nghaernarfon un tro. 'Iawn,' medda fi, heb wybod be oedd ganddo dan sylw. Ond unwaith y cyrhaeddon ni'r llwyfan lle cafodd y Tywysog Charles ei arwisgo yn 1969, ro'n i'n gwybod bod rwbath ar y gweill.

Dechreuodd Eirug beintio slogan Deddf Iaith ar y llechi oedd ar lawr, a finna'n tynnu ei lun o. Mi gafodd y ddau ohonom ein hel allan yn ddiseremoni'r diwrnod hwnnw.

Un arall oedd yn dipyn o ffrindiau efo Eirug oedd Bob – Robert Owen – y gofalwr yn swyddfeydd *Yr Herald*. Enillodd Bob y DCM am wasanaethu efo'r Gwarchodlu Cymreig yn Burma yn ystod yr Ail Ryfel Byd, ac roedd o'n goblyn o gymeriad. Roedd o'n treulio tipyn o'i amser sbâr yn Siop y Pentan yn malu awyr efo Eirug, er bod y ddau o gefndir hollol wahanol i'w gilydd – Eirug yn fab y mans ac yn genedlaetholwr, a Bob yn Gofi Dre o'i gorun i'w sawdl ac yn Brydeiniwr. Serch hynny, roedd y ddau'n cyd-dynnu'n dda, ac yn parchu ei gilydd. Eirug roddodd y deyrnged yn angladd Bob. Mi fyddai Bob yn dod i mewn yn gynnar yn y bore ac yn glanhau'r swyddfa, wedyn roedd o'n aros o gwmpas y lle i ddisgwyl bŷs. Roedd bysys yn gweithredu fel rhyw fath o *couriers* yn yr ardal ers talwm, ac roeddan nhw'n cario lot o stwff *Yr Herald* o swyddfeydd eraill – ym Mhwllheli a Phorthmadog, er enghraifft – i Gaernarfon, lle byddai Bob neu rywun arall yn eu derbyn. Yn aml iawn mi fyddai'n aros am y bŷs yn y Morgan Lloyd ar y Maes (am ei fod yn gyfleus i wylio'r bysys yn cyrraedd, siŵr iawn!), ond os oedd pres yn brin, mi fyddai'n cicio'i sodlau o gwmpas y swyddfa a siop Eirug. Cyn dyddiau'r popty ping, roedd gan Bob ffyrdd unigryw (a pheryglus) o gynhesu bwyd. Dwi'n cofio dod i mewn un bore a gweld y tegell yn symud i bob man ar hyd y bwrdd wrth ferwi. Bob oedd wedi rhoi tun o fîns i mewn ynddo fo i gynhesu! Mi fyddai'n rhoi porc peis tu ôl i'r *radiators* am awran neu ddwy i gynhesu hefyd. Fo fyddai'n gwneud panad i bawb ddiwedd y pnawn, ac roedd o'n hoff o roi siot bach o frandi neu wisgi yn y coffi. Dwi'n cofio'r Parch. D. Ben Rees yn dod i siop Eirug ryw dro, ac roedd Bob yn digwydd bod yno hefyd. Doedd gan Bob ddim syniad pwy oedd o, a dyma fo'n taro sgwrs efo fo.

Ymhen hir a hwyr dyma Bob yn holi'r gŵr bonheddig:

'Neith hi beint bach heno?'

'Ew, na,' meddai D. Ben dan chwerthin, 'dwi ddim yn meddwl rywsut. Fydda i ddim yn mynd i dafarndai.'

'O! Un o'r rheina sy'n yfad yn tŷ dach chi!' meddai Bob. Ia, un da oedd Bob.

Mae'r Eisteddfod Genedlaethol yn agos iawn at fy nghalon, ac mae hi wedi chwarae rhan bwysig yn fy mywyd ar hyd y blynyddoedd. Dwi'n falch o fedru deud 'mod i wedi gweithio ym mhob un er 1979. I mi, mae'r Eisteddfod yn gyfle i ni adfywio ein Cymreictod, ond mae'r gwaddol yn bwysig iawn hefyd yn yr ardaloedd y mae hi'n ymweld â nhw, yn enwedig yn yr ardaloedd di-Gymraeg lle mae'n codi awydd ar bobol i fynd ati i ddysgu'r iaith, neu'n codi ymwybyddiaeth o'n diwylliant. Dyna pam dwi'n credu'n gryf y dylai hi barhau i deithio o le i le. Dwi wedi'i gweld hi'n moderneiddio ar hyd y blynyddeoedd a bellach mae hi'n fwy o ŵyl genedlaethol nag eisteddfod.

Yn ystod fy nghyfnod i yn gweithio yn y Brifwyl dwi wedi gweld dwn i ddim sawl pafiliwn gwahanol – dwi'n cofio'r hen un pren di-liw, a'r un llwyd a choch fu'n styc ym Mhorthmadog am ryw bedair neu bum mlynedd fel rhyw gwt defaid anferth; wedyn mi ddaeth y babell streipia glas a coch, wedyn un streips gwyrdd a melyn, ac wedyn y pafiliwn pinc – a rŵan mae 'na un newydd eto. Ond mae'r Eisteddfod wedi newid yn sylweddol er gwell yn y blynyddoedd diwethaf. Mae rhywun yn cofio'r rhai lle cafwyd tywydd drwg, fel Abergwaun 1986, a Chwm Rhymni 1990; a'r rhai fel Meifod 2003 a sawl un arall pan gawson ni dywydd gwirioneddol wych. Dwi hefyd yn cofio pan gyflwynwyd cystadlu ar y Sadwrn cyntaf, ac yna ar y Sul yn Llanbedr-goch, ac wrth gwrs dwi'n cofio pan gafwyd bar ar y Maes am y tro cyntaf. Dwi'n bendant yn meddwl bod yr Eisteddfod wedi datblygu ar y trywydd iawn yn ystod y blynyddoedd diweddar, a bod y datblygiadau, yn fach a mawr, er gwell. Mae hi wedi troi'n ŵyl fodern go iawn erbyn hyn, a phobol ifanc yn mwynhau ac yn aros ar y Maes ac ym Maes B yn lle mynd i'r tafarnau lleol i gael eu hwyl. Mae pobol o bob oed yn aros ar y Maes yn hwyrach ac mae 'na awyrgylch braf iawn yno, yn enwedig pan fydd cystadlaethau corawl a chanu byrfyfyr yn y bariau. Ydyn, mae'r trefi wedi dioddef i ryw raddau, ond mae'r dyddiau pan oedd tafarnau, caffis ac ati yn siŵr o wneud elw mawr drwy wneud dim ond agor eu drysau pan fyddai'r Eisteddfod ar y trothwy, ar ben. All busnesau bellach ddim eistedd yn ôl a disgwyl gwneud pres heb godi bys, mae'n rhaid denu pobol drwy ddrws y dafarn neu'r gwesty neu'r caffi.

Eisteddfod Caernarfon yn 1979 oedd y gyntaf i mi weithio ynddi, ac roedd *Yr Herald* wedi penderfynu cynhyrchu crysau T arbennig efo'r neges 'Beth sydd ar y blaen?' ar eu cefnau nhw. Ar y tu blaen roedd logo'r *Herald*. Roedd yr Eisteddfod wedi'i lleoli ar gaeau ger Ysgol Syr Hugh Owen, ac roedd gan y cwmni stondin ar y maes gyda'r bwriad o gynnig paned a bisged i unrhyw un a alwai heibio. Yn anffodus, un tegell bach oedd gynnon ni yno, a doeddan ni ddim yn medru cadw i fyny efo'r galw, felly bu'n rhaid nôl mwy o degellau yn reit handi!

Dwi wedi bod ym mhob Eisteddfod ers hynny, wedi gweld llefydd na faswn i rioed wedi eu gweld fel arall, ac wedi gwneud llawer iawn o ffrindiau da. Yn 2005, pan oedd yr Eisteddfod ar dir y Faenol, mi ges i lythyr annisgwyl drwy'r post, a'i gynnwys yn dipyn o sioc. Deud yr oedd o fy mod wedi cael fy enwebu i fod yn aelod o'r Orsedd, ar sail chwarter canrif o wasanaeth i'r Eisteddfod Genedlaethol a 35 mlynedd o wasanaeth i newyddiaduraeth yng Nghymru.

Ro'n i'n falch iawn o gael derbyn – er mai o'r Orsedd y daeth yr anrhydedd, ro'n i'n teimlo ei fod o'n dod gan y genedl, rywsut. Erbyn hyn mae gynnon ni wobrau Dewi Sant, ond ar y pryd doedd gan Gymru ddim byd arall i'w gynnig yn gydnabyddiaeth am wasanaeth. Roedd o'n deimlad braf iawn gwybod y basa Mam yn medru dod i 'ngweld i'n derbyn yr anrhydedd, gan na chafodd hi'r cyfle i ddod i Gaerdydd i'm gweld i'n derbyn fy nhystysgrifau pan orffennais fy nghwrs yn y coleg.

Roedd y llythyr yn fy siarsio i beidio â sôn gair wrth neb, ond ro'n i wedi deud wrth Mam, wrth reswm, ac roedd yn rhaid deud wrth Ann, fy nghyfnither, hefyd. Oni bai amdani hi fasa Mam ddim wedi gallu dod i'r seremoni gan ei bod hi wedi cael pen-glin newydd, ac yn gloff wrth ei ffon. Dwi'n ddiolchgar iawn i Ann am hynna, ac roedd Mam wrth ei bodd o gael bod yno ar y maes.

Roedd nifer o fy ffrindiau wedi troi i fyny i weld y seremoni, yn eu plith roedd Ian Edwards o Gaernarfon, a fu'n ohebydd acw ac sydd erbyn hyn yn newyddiadurwr ar y gyfres *Byd ar Bedwar*; Alun Prichard o Abergwyngregyn, fu hefyd yn ohebydd acw ac sydd bellach efo'r Ymddiriedolaeth Genedlaethol; a Tegwyn a Margaret, wrth gwrs, ac Iwan, eu mab. Y diweddar Selwyn Griffith – Selwyn Iolen – oedd yr Archdderwydd, a doedd 'na ddim llawer ers i mi dynnu ei lun o yn ei regalia newydd pan gafodd ei ethol i'r swydd. Pan gyhoeddodd Selwyn fy enw gorseddol, sef Arwyn Herald, dyma fo'n ychwanegu 'be arall?' a dyma fy ffrindiau – oedd ar wasgar yn y gynulleidfa – yn dechrau gweiddi a chlapio a chwerthin, nes bod pawb arall yn gwneud yr un modd. Dwi'n cofio cerdded yn ôl i stafell y pwyllgor a dyma rywun yn rhoi lolipop i mi am ryw reswm, felly mae lot o'r lluniau dynnodd Tegwyn ohona i efo'r lolipop 'ma, fel Kojak mewn gwisg werdd.

Gan 'mod i wedi colli fy nhad yn 1989, roedd o'n ddiwrnod emosiynol iawn i mi am bod Mam wedi medru bod yno i weld y seremoni. Am mai unig blentyn ydw i, dwi'n meddwl i'r brofedigaeth fy ngwneud i'n berson cryfach. Mae'n anodd egluro i bobol weithiau, ond fel unig blentyn roedd pob cyfrifoldeb yn disgyn ar f'ysgwyddau i ar ôl hynny. Doedd 'na neb arall, ac felly y bu hi am 20 mlynedd. Roedd colli fy nhad yn ergyd, ond roedd colli Mam yn waeth oherwydd ro'n i wedi byw efo hi am 20 mlynedd, dim ond y ddau ohonan ni. Wedyn, mwya sydyn, roedd gwacter mawr, a'r aelwyd yn wag. Dwi'n agos iawn at fy nghyfnitherod a fy nghefndryd, ac at eu plant nhw i gyd hefyd, ond er hynny mi deimlais i'r gwacter mawr 'ma ar ôl colli Mam. Mae 'na focs o addurniadau Nadolig acw, efo ambell addurn ynddo ers pan oeddwn i'n blentyn – a rhai ers ieuenctid Mam – a bob blwyddyn mi fyddwn i'n ei helpu i'w rhoi nhw i fyny. Ond roedd yn gas gen i eu tynnu nhw i lawr o'r atig, a Mam fyddai'n gwneud hynny bob tro, ac mi fydda hi'n lapio'r addurniadau mewn papur meddal cyn eu cadw nhw yn ôl. Er bod dros chwe mlynedd ers i mi golli Mam, dwi'n dal i fethu agor y bocs hwnnw.

Un peth dwi wedi'i ddysgu yn eitha diweddar ydi 'paid â gadael rhywbeth tan fory os fedri di ei wneud o heddiw'. Un noson, mi welais i hysbyseb ar y teledu ar gyfer sioe *The Sound of Music* yng Nghanolfan y Mileniwm, Caerdydd, efo Connie Fisher yn y brif ran. Roedd Mam wedi bod yn dilyn y gyfres deledu lle dewiswyd Connie i'r rôl – *How Do You Solve a Problem Like Maria* efo Andrew Lloyd Webber – ac roedd hi wrth ei bodd efo hi. Reit, dyma fi'n gofyn i Ann, fy nghyfnither, oedd hi'n meddwl fod Mam yn ddigon 'tebol i fynd i lawr i Gaerdydd i weld y sioe. 'Ydi tad,' medda hi, a dyma fi'n bwcio gwesty a thocynnau i'r sioe. Chafodd hi ddim gwybod am y daith tan rhyw ddeuddydd cyn mynd i lawr, ac roedd hi wrth ei bodd. Mi gafodd hi wneud dipyn o siopa, mwynhau'r sioe yn fawr iawn, ac ar y dydd Sul roedd hi isio mynd i Sain Ffagan i weld Llainfadyn, y bwthyn chwarel o Rostryfan sydd yno. Mi gawson ni amser gwych, ond gwta ddeufis yn ddiweddarach roedd Mam wedi marw. Dim ond am bedair wythnos y bu hi'n sâl. Be wnaeth i mi fynd â hi i Gaerdydd? Wnes i rioed beth felly o'r blaen. Fedra i ddim ateb hynna, a dyna pam dwi'n credu bod angen gweithredu heddiw yn hytrach na gohirio tan fory. I hogyn, mae colli mam yn waeth na cholli tad, ond mae'n waeth byth i unig blentyn, ac mi wnaeth o fy nharo fi'n drwm iawn pan gollais i Mam. Mae 'na rai cyfnodau rwan – yn enwedig tua'r Nadolig ac adeg ei phen-blwydd – pan mae'r galar yn fy llethu. Ond mi ges i gefnogaeth wych gan fy nheulu a fy ffrindiau agos – mi oeddan nhw'n driw iawn pan oedd Mam yn yr ysbyty, a does gen i ddim ond diolch i gyfeillion fel Deiniol Tegid a'i wraig Brenda – maen nhw'n byw yn agos i'r ysbyty ym Mhenrhosgarnedd ac mi ges i aros efo nhw am gyfnod. Wedyn roedd ffrindiau eraill fel Ian Edwards, Dylan Halliday, Alun Prichard, Nigel Roberts, Siôn Tecwyn, Aled Jones-Griffith a Margaret a Tegwyn yn gefn mawr i mi. Mi fyddai Margaret yno efo Mam yn y prynhawniau tan amser te, wedyn roedd fy nheulu'n dod yno, a fy ffrindiau. Doedd pawb ddim yn cael mynd i mewn i weld Mam. Erbyn i ni ddod o'r uned gofal dwys gyda'r nos roedd caffi'r ysbyty wedi cau, ond roeddan ni'n mynd i lawr i'r ffreutur a chael Ribena efo'n gilydd yn fanno. Aeth y Clwb Ribena yn dipyn o ddefod ac roedd o'n ffordd o gadw'r ysbryd i fyny. Roedd pawb yn mynd adra tua naw o'r gloch, ond arhosai Deiniol neu Ian efo fi fel rheol, ac wedyn ro'n i'n mynd yn ôl i dŷ Deiniol. Bu'r holl bobol yma'n gefn mawr i mi, ac mae gen i'r parch mwyaf atyn nhw i gyd, ond mae'n rhaid i mi sôn yn arbennig am Ian Edwards. Mae Ian a finnau'n ffrindiau da ers y dyddiau pan ddaeth o'n ohebydd i'r *Herald* gynta ddiwedd y

1990au, ond pan oedd Mam yn yr ysbyty roedd o tu hwnt o dda efo fi. Mi ddaeth yno efo fi bob dydd am dair wythnos, nes iddo fo orfod mynd i lawr i Gaerdydd efo'i waith ar *Byd ar Bedwar*. Y noson honno bu Mam farw, ond roedd Ian yn ôl ym Mangor cyn cinio'r diwrnod wedyn. Wna i byth anghofio hynny, na chefnogaeth fy ffrindiau i gyd. Roedd gan bob un ohonyn nhw deuluoedd eu hunain, ond mi roeson nhw eu hamser i mi ar adeg anodd iawn yn fy mywyd.

Aeth Mam i weld arbenigwr ar 13 Hydref 2009 oherwydd ei bod yn cael poenau yn ei hochr. Welodd o ddim o'i le, ac mi ddywedodd o wrthi y basa fo'n falch petai o mor iach â hi ar ôl cyrraedd ei hoedran hi. Iawn, gwych, ond fis union i'r diwrnod hwnnw roedd Mam wedi marw. Roedd hi'n 86, ac roeddan nhw wedi methu'r canser oedd arni. Mi ddaw marwolaeth inni i gyd yn ein tro, mae hynny'n anochel, ac mae bywyd yn symud yn ei flaen. Mae'n rhaid derbyn hynny, does gynnon ni ddim dewis, ond dwi'n cael trafferth derbyn diagnosis Mam. Tasan ni wedi cael gwybod am y canser y diwrnod hwnnw, ella na fasa fo ddim wedi gwneud gwahaniaeth yn y pen draw, ond fasa ei marwolaeth ddim wedi bod yn gymaint o sioc.

Mam a finna o flaen Canolfan y Mileniwm

11

Dyn y pwyllgorau

Adeg Eisteddfod yr Urdd yn Nyffryn Nantlle yn 1990, trefnwyd gêm bêl-droed rhwng criw *C'mon Midffîld* – neu Bryncoch United – a thîm Nantlle Vale. Roedd y trefnwyr siŵr o fod yn bwriadu manteisio ar boblogrwydd y gyfres ar y pryd, a phwy welai fai arnyn nhw? Ond wnaeth neb freuddwydio y byddai'r gêm yn profi mor boblogaidd. Mi oedd 'na filoedd o bobol yno. Oedd – miloedd! Roedd y lonydd o gwmpas Penygroes yn tagu efo traffig, a phawb yn mynd i gyfeiriad cae pêl-droed Maes Dulyn. Dyna un o'r troeon cyntaf i mi weld hofrennydd yr heddlu yn yr ardal. Mi oedd 'na dagfeydd yr holl ffordd o Benygroes i lawr at lôn Pwllheli, i lawr am Groeslon ac i gyfeiriad Porthmadog – mi oedd o'n anhygoel.

Roedd y trefnwyr yn cymryd pres gan bawb wrth y giât mochyn yn y cae, ond yn y diwedd mi gynghorodd yr heddlu nhw i agor y prif giatiau er mwyn gadael pawb i mewn yn gynt. Roedd hi'n noson i'w chofio, ac mi ges i ddigon o luniau ar gyfer y papur.

Ro'n i'n ffrindiau efo rhai o chwaraewyr Nantlle Vale, ac yn gweld rhai o aelodau'r pwyllgor yn y Gôt yn rheolaidd hefyd, ac mi ges i ar ddeall eu bod nhw'n chwilio am aelodau newydd i helpu i redeg y clwb. Rhywsut neu'i gilydd – a dwi'n dal ddim yn siŵr sut – mi ges i fy mherswadio i ymuno â nhw ar y pwyllgor. Ymhen tipyn mi ges i fy ngwthio i fod yn ysgrifennydd, sydd hyd yn oed yn fwy o ddirgelwch i mi, ond mi fues i'n gwneud y gwaith hwnnw am saith neu wyth mlynedd. Dwi'n lecio meddwl fy mod i'n berson gweddol drefnus, ac mae angen bod felly ar gyfer swydd o'r fath. Roedd yn rhaid gwneud yn saff bod gynnon ni dîm ar gyfer pob gêm a sicrhau bod y trefniadau teithio'n iawn ar gyfer gemau oddi cartref; roedd angen cadw golwg fanwl ar ein record ddisgyblaeth – a doedd honno byth yn dda iawn – er mwyn bod yn barod ar gyfer unrhyw ddirwyon neu waharddiadau ac roedd angen gohebu efo'r gymdeithas bêl-droed yn rheolaidd ar wahanol faterion, ac yn y blaen, ac yn y blaen. Roedd 'na gant a mil o bethau i'w gwneud a'u cofio a deud y gwir.

Yn ystod y cyfnod hwnnw mi fues i'n gweithio efo sawl cadeirydd, yn cynnwys Ieuan Parry, Elwyn Jones-Griffiths, Dr Neil Jones ac Alun Ffred Jones, ac mi oedd 'na griw da yno, yn chwaraewyr ac yn aelodau pwyllgor. Roedd o'n gyfnod reit gyffrous hefyd, er ein bod ni wedi cael cyfnodau gwael yn ogystal â rhai da. Roedd Vale yn chwarae yng nghynghrair y Welsh Alliance, ac roedd ganddyn nhw dîm yn y Caernarfon & District, a thîm dan 18 hefyd, felly roeddan ni'n mynd mor bell â Phrestatyn a llefydd felly i chwarae timau fel Derwyddon Cefn. Byddai dydd Sadwrn yn cael ei reoli'n llwyr gan bêl-droed i mi, a miloedd o rai tebyg i mi, sy'n ymwneud â chlybiau bach a mawr ar hyd a lled y wlad.

Er bod clwb cymdeithasol efo bar ynddo yn agos i'r cae pêl-droed, doedd clwb Nantlle Vale ddim yn ei ddefnyddio, felly y Gôt oedd cartref go iawn, neu gartref ysbrydol, y clwb. Roedd lot o'r aelodau a'r chwaraewyr yn yfed yno, ac yno yr oedd y trafod answyddogol yn digwydd – hynny ydi, y tu allan i'r pwyllgorau ffurfiol. Un noson, yn lle trafod pêl-droed a'r clwb, dyma ni'n dechrau sôn am wneud rhywbeth i ddod â'r pentref, a'r dyffryn at ei gilydd. Un o'r syniadau oedd cynnal gŵyl o ryw fath. Iawn, *champion* ... ond roedd angen pwyllgor i drefnu peth felly, a dyma fi'n penderfynu mynd rownd pobol yn y dyffryn, gan gynnwys nifer nad oeddwn i'n eu hadnabod, er mwyn cael wynebau newydd a gweld pa fath o gefnogaeth oedd 'na i'r syniad i ddechrau, cyn eu perswadio nhw i ymuno â'r pwyllgor. Un o'r rhai y dois i i'w hadnabod yn dda yn sgil hyn oedd Beryl Fretwell. Roedd Beryl wedi bod yn gweithio mewn banc, felly roeddan ni'n awyddus iddi edrych ar ôl yr ochr ariannol, ac roedd hi'n barod iawn i helpu, chwarae teg. Mi gawson ni bwyllgor bach i ddechrau cyn bwrw iddi o ddifrif i drefnu Gŵyl Fai Dyffryn Nantlle. Unwaith eto, trwy ddirgel ffyrdd, mi ges i fy newis yn gadeirydd! Yn ogystal â dod â'r gymuned at ei gilydd, roeddan ni am godi arian at elusennau lleol. Gŵyl wythnos o hyd oedd hi, a chynhaliwyd yr un gyntaf yn 1995. Roedd honno'n llwyddiant ysgubol, diolch byth.

I gloi'r wythnos byddai wastad rhyw fath o ddigwyddiad neu gyngerdd, ond cyn hynny cynhelid gweithgareddau eraill amrywiol. Dros y blynyddoedd mi lwyddon ni i ddenu Talwrn y Beirdd, y Stomp, Gemau Heb Ffiniau a rhaglen radio Hywel Gwynfryn i fod yn rhan o'r ŵyl, yn ogystal â digwyddiadau mwy cyffredin fel boreau coffi a gyrfâu chwist. Mi gafwyd gemau pêl-droed hwyliog a chystadlaethau o bob math hefyd, ac roedd teithiau beic yn rhan hanfodol o'r rhaglen bob blwyddyn. Teithiodd y reidiwyr yr holl ffordd o Ysbyty Alder Hey i Benygroes un flwyddyn. Oedd, roedd hynny'n waith bron mor galed â'r trefnu, ond roeddan ni'n cael lot fawr o hwyl a lot fawr o foddhad ar y diwedd hefyd. Aelodau eraill y pwyllgor oedd Emyr 'Berth' Jones, Ian Williams (Siop Goch), Elwyn Jones-Griffith (tad fy ffrind Aled, a oedd hefyd ar y pwyllgor), Winston Halliday (tad Dylan, a oedd yn ffrind ac yn ohebydd ar *Yr Herald*), Dei Williams, Dic Williams, Enid Roberts ac Enid Gôt – ac os ydw i wedi anghofio enwi rhywun, maddeuwch i mi!

Ar ôl cyfnod o chwe blynedd ynghlwm â'r ŵyl ro'n i'n dechrau teimlo fy hun yn mynd yn stêl, a dan dipyn o straen i drio meddwl am syniadau newydd, ffres, drwy'r adeg. Fyddwn i ddim yn cysgu'n dda iawn am gyfnod bob mis Mai, yn poeni os oedd hyn a'r llall wedi'i wneud, bod yr yswiriant yn ei le a'r trefniadau i gyd wedi eu gwneud. Yn y diwedd mi benderfynais mai'r peth callaf oedd cymryd brêc oddi wrth y pwyllgor. Ro'n i'n gyndyn o roi'r gorau iddi – do'n i ddim isio gadael neb i lawr, ac ro'n i'n mwynhau'r cwmni – ond roedd o'n dipyn o boen meddwl i mi.

Yn digwydd bod, tua'r un pryd roedd Nantlle Vale yn mynd trwy gyfnod anodd yn ariannol, a phenderfynwyd tynnu allan o'r Welsh Alliance a chanolbwyntio ar y Caernarfon & District, sef rhedeg yr ail dîm yn unig. Roedd 'na griw da yno i rannu'r baich erbyn hyn, ac ro'n i'n teimlo fod yr amser yn iawn i roi'r gorau iddi efo'r clwb, ac mi wnaeth hynny fy helpu i wneud penderfyniad ynglŷn â'r Ŵyl Fai. Penderfynu rhoi'r gorau iddi wnes i yn fanno hefyd. Fasa hi ddim yn deg ar y cadeirydd newydd petawn i'n parhau yn aelod o'r pwyllgor, felly roedd hi'n well torri'r cysylltiad yn gyfan gwbl, a dyna wnes i. Diflannai fy mis Ebrill a mis Mai bob blwyddyn yng nghanol trefniadau'r Ŵyl, ac roeddan ni'n dechrau paratoi ar gyfer yr un ganlynol ym mis Medi. Byddai'r clwb pêl-droed yn mynd ag amser rhywun drwy gydol y flwyddyn, fwy neu lai, nid dim ond y Sadyrnau, felly roedd hi reit braf cael fy Sadyrnau'n ôl unwaith eto ar ôl chwe neu saith mlynedd. Weithiau mi fyddwn i'n difaru rhoi'r gorau iddi, ond pan dach chi wedi gwneud penderfyniad dydi o ddim bob amser yn beth doeth mynd yn ôl wedyn, yn fy marn i. Mi ddaeth cyfnod cyffrous a hapus yn fy mywyd i i ben felly, ond dwi'n falch iawn o'r hyn a gyflawnwyd gan Ŵyl Fai Dyffryn Nantlle, a dwi'n fwy balch fyth fod 'na bobol eraill wedi cario mlaen efo'r gwaith, a'i bod hi'n dal yn ŵyl gymunedol boblogaidd.

Meriel Parry

Alla i ddim cofio pryd ac yn lle bu i mi gwrdd ag Arwyn am y tro cyntaf, ond mae'n teimlo fel petaen ni'n ffrindiau ers oesoedd. Dyna'r math o berson ydi o, yn gwneud ffrindiau yn hawdd a bob amser yn gwmni braf.

Yn sicr, deuthum i'w adnabod yn well yn ystod y ddwy flynedd o baratoi ar gyfer Eisteddfod yr Urdd Eryri 2012. Roedd yn aelod tu hwnt o weithgar ar y pwyllgor cyhoeddusrwydd ac yn fodlon helpu mewn amrywiaeth o ffyrdd. O werthu crysau T, cryno ddisgiau, tynnu lluniau, gosod posteri a llu o weithgareddau eraill, rhoddodd oriau o'i amser i sicrhau fod y crochan arian diwaelod yn llenwi a bod yr Eisteddfod yn un lwyddiannus.

Bu'r ddau ohonom yn rhoi posteri mawr ar y fynedfa yng Nglynllifon un diwrnod, dim ond i Arwyn gysylltu

ychydig ddyddiau yn ddiweddarach i ddeud bod un wedi ei ddwyn/diflannu! Fe fu'n edrych ar fêliau gwair mewn sawl cae rhag ofn bod un wedi'i glymu efo'r poster mawr! Ac yna, fe gofiwch y mwd a'r glaw yn ystod wythnos yr Eisteddfod – ond roedd Arwyn yno bob bore, yn edrych ar yr ochr orau ac yn codi 'nghalon i.

Heblaw am fod yn ffrindiau gweplyfr (lle mae ganddo dros 2,700 o ffrindiau!), yn yr Eisteddfod y byddaf yn cael cyfleoedd i gael paned a sgwrs efo fo, ac yn ystod un o'r sgyrsiau rheiny cawsom drafodaeth am Orsedd y Beirdd a finnau'n deud y byddai derbyn anrhydedd gan yr Orsedd yn golygu cymaint mwy nag unrhyw anrhydedd o'r tu hwnt i Glawdd Offa. Yn wir i chi, fe gofiodd am hyn ac yn Eisteddfod Meifod 2015 cefais fy nerbyn i'r Orsedd. Bûm yn hir yn trio ffeindio pwy oedd wedi rhoi fy enw ymlaen, ac mae fy niolch yn fawr iddo. Mae gen i gopi o'r llun yma o'r ddau ohonom, Arwyn yn ei wisg werdd a finnau yn yr un las, sy'n cael ei drysori.

12
Ffotograffwyr pell ac agos

Mae 'na wastad gystadleuaeth frwd rhwng gwahanol bapurau a chyfryngau i gael gafael ar stori dda a'i chyhoeddi hi o flaen neb arall. Mae hynny'n beth iach, ond yn fy mhrofiad i, mae ffotograffwyr y gwahanol gwmnïau (dwi ddim mor siŵr am ohebwyr) yn cyd-dynnu'n dda ac yn barod iawn i helpu'i gilydd pan fo'r angen yn codi, fel y gwnaeth Tegwyn pan gollais i'r lluniau etholiad rheiny. Dwi wedi cydweithio efo nifer o ffotograffwyr dros y blynyddoedd, a dwi am sôn dipyn am rai ohonyn nhw rŵan.

Pan ges i fy nghamera cyntaf wnes i ddim prynu bag ar ei gyfer o (dwi'm yn cofio pam), ond wrth dynnu mwy a mwy o luniau a chael mwy a mwy o offer, mi sylweddolais fod angen un arna i yn reit handi. Mi soniodd rhywun bod 'na siop ym Mhorthmadog yn gwerthu camerâu ac offer. Siop y ffotograffydd Nigel Hughes oedd hi, ac yn fanno y prynais fy mag cyntaf – ac mae Nigel y cofio hynny hyd heddiw ac yn hoff o'm hatgoffa o'r ffaith o bryd i'w gilydd. Mae hynna dros 40 mlynedd yn ôl, ac mi ydan ni'n ffrindiau da byth ers hynny. Ffotograffydd llawrydd ydi Nigel, ac yn ogystal â phriodasau a phob math o bethau eraill, roedd o'n tynnu lluniau i'r *Cambrian News* yn ardal Port a Phen Llŷn, ac roeddan ni'n cyfarfod yn aml iawn ar wahanol jobsys yma ac acw. Yn ddiweddarach mi fu'n cyflenwi lluniau o'r ardal honno i'r *Herald* hefyd.

Yn y cyfnod cynnar, roedd Peter Westley ac Elfed Williams yn tynnu lluniau yn ardal Llŷn, ac roedd Gerallt Llewelyn o Garmel yn tynnu lluniau ar gyfer y *Daily Post* yn y cylch. Mi ddois i'n ffrindiau da iawn efo Gerallt, ac roedd yntau hefyd yn tynnu lluniau i'r *Herald* o dro i dro.

Un arall sydd wedi bod yn tynnu lluniau i gwmni North Wales Newspapers yng ngogledd Cymru ers blynyddoedd ydi Kerry Roberts. Mae Kerry yn dod o'r Waun yn wreiddiol, ac roedd o'n gweithio ym mhencadlys y cwmni yng Nghroesoswallt ar y dechrau, lle cafodd o hyfforddiant gan ryw foi o'r enw Tegwyn Roberts. Ia hwnnw eto! Ew, tydi'r byd 'ma'n fach d'wch?

Pan fyddwn i allan ar wahanol jobsys, ro'n i'n gweld gohebwyr a ffotograffwyr o gwmnïau eraill yn amlach na'r rhai ro'n i'n gweithio efo nhw yng Nghaernarfon. Mae'n bosib mai ar ddiwedd y dydd y byddwn i'n cyrraedd y swyddfa ar ôl bod allan ers ben bore, ac roedd lot o fy nghydweithwyr wedi mynd adra erbyn hynny. Dydi rhai pobol ddim yn gwybod be 'di gwaith go iawn! Erbyn heddiw, dwi'n gweithio o gartre gan mwyaf, a dim ond yn mynd i mewn i'r swyddfa yn achlysurol iawn. Mae'r drefn wedi newid bellach, a dwi ddim jest yn tynnu lluniau ardal Gwynedd a Môn, dwi'n mynd draw i Wrecsam ac i lawr i'r Canolbarth pan fydd angen, i dynnu lluniau ar gyfer y *Daily Post* a gwefan y papur.

Ond ers talwm, fel unig ffotograffydd y cwmni yn yr ardal, doedd 'na ddim posib i mi fod mewn mwy nag un lle ar unwaith, ac mae hynny'n wir am bawb arall yn y busnes, wrth gwrs, felly mi oeddan ni'n cydweithio ac yn rhannu lluniau. Er enghraifft, mi fyddwn i'n codi'r ffôn a threfnu ymlaen llaw fy mod i'n mynd i un lle, a'r ffotograffydd arall, pwy bynnag oedd o, yn mynd i'r joban arall, ac yn rhannu'r lluniau wedyn. Mae o'n dal i ddigwydd heddiw. Mae Kerry a finna'n helpu ein gilydd fel hyn reit aml, ac mae'r un peth yn wir am y ffotograffydd llawrydd o Bwllheli, Dewi Wyn.

Er mai dyn camera teledu ydi Nigel Roberts, mae yntau'n un arall dwi wedi dod i'w adnabod, ac wedi dod yn ffrindiau da efo fo drwy'r gwaith. Byddai Nigel yn help garw ambell waith pan o'n i, neu ffotograffydd arall, isio llun o ryw ddigwyddiad neu berson arbennig. Roeddan ni'n cael mynd i ganolfan y BBC ym Mangor a gwneud *video grab*, sef ffotograff oddi ar dâp fideo. Dydach chi byth yn gwybod pryd y byddwch chi angen help gan rywun arall, neu nhw ganddoch chithau.

Mae 'na un stori sy'n dangos y cydweithio yma i'r dim, dwi'n meddwl. Ym mis Hydref 1997 roedd 'na achos llys anghyffredin yn Llys Sirol Caernarfon. Roedd Clifford Williams, ficer o Benllech, Ynys Môn, o flaen llys Eglwysig ar gyhuddiad o gael perthynas efo un o'i blwyfolion. Roedd o'n wynebu colli ei swydd (a dyna ddigwyddodd yn y diwedd), ac fel y gallech chi ddisgwyl efo stori o'r math yma, roedd papurau Llundain a'r cwmnïau teledu i gyd yno. Ar y diwrnod olaf un roedd 'na ddegau o ohebwyr a ffotograffwyr yno yn disgwyl y dyfarniad. Eryl Crump oedd y gohebydd efo fi. Ar safle'r llys mae 'na goeden gastanwydden fawr, ac roedd 'na griw o hogia lleol yno'n hel concyrs trwy daflu rhyw far haearn, fel trosol bychan, i fyny i'r canghennau. Pan ddaeth yr achos i ben ac ar ôl i Clifford Williams wneud datganiad byr, mi amgylchynodd y gohebwyr a'r ffotograffwyr y car oedd yn mynd â fo oddi yno. Wnaeth o ddim cymryd mwy na munud neu ddau i ddod o'r llys i'r car. Mwya sydyn, mi ges i deimlad rhyfedd yn fy nghoes, fel *dead leg*, ond gwaeth. Anwybyddu'r peth wnes i a dal i dynnu lluniau tan oedd y criw wedi mynd, ond roedd gen i boen ofnadwy yn fy nghoes wrth drio cerdded at y car ar gyfer fy joban nesaf yng Nghlwb y Ceidwadwyr. Mi es i i lawr i'r clwb, ond erbyn hynny doeddwn i prin yn medru symud, ac wrth ddringo'r grisiau mi ddisgynnais a fedrwn i ddim mynd gam ymhellach. Drwy lwc, criw o nyrsys yn cyflwyno siec i ryw fudiad neu'i gilydd oedd y llun, ac mi ddaeth rhai ohonyn nhw i lawr a sbio ar gefn fy nghoes. 'Sa'n well iti fynd i'r ysbyty yn syth, mae'n edrych yn ddrwg,' oedd y farn. Roedd gwaelod fy nghoes yn ddu, efo lot o gleisiau yma ac acw arni. Dylan Halliday aeth â fi, ac mi ddywedodd y doctor fod gen i gleisio a gwaedu mewnol drwg ar gefn fy nghoes. Mi ges i fy nghadw i mewn dros nos, ac erbyn drannoeth roedd y stori amdana i ar led. Galwodd Nigel BBC ac Eryl draw i ngweld i. Yn y diwedd, mi fues i yn yr ysbyty am dros wythnos, er nad oedd gen i ddim syniad sut ddigwyddodd yr anaf. Ond tra ro'n i yno mi fu Nigel yn holi hwn a'r llall, ac ymhen dim mi gafodd afael ar luniau gan Sky News yn dangos hogyn yn rhoi swadan i mi ar gefn fy nghoes efo'r trosol bach haearn roeddan nhw'n 'i ddefnyddio i gnocio concyrs i lawr o'r goeden. Ymosodiad oedd o felly, ond gan mai dim ond naw oed oedd yr hogyn roedd o'n rhy ifanc i fynd â'r mater ymhellach. Nid fy nhargedu i wnaeth o, dim ond digwydd bod 'mod i yn y lle anghywir ar yr amser anghywir. Am ryw reswm, roedd o jest yn ymosod ar rywun rywun. Mi fues i ar faglau am sbel wedyn, ac i ffwrdd o'r gwaith am wythnosau ym mis Tachwedd a Rhagfyr. Roedd Eisteddfod yr Urdd ym Mhenyberth, Pwllheli, y mis Mai canlynol, ac ar ddiwrnod ola'r steddfod honno mi sglefriais i ar un o'r planciau pren oedd wedi cael eu gosod yn llwybr rhwng y stondinau, a throi fy nhroed ... yr un goes. Ro'n i mewn poen eto, ac roedd y cleisiau wedi dod yn ôl, felly bu'n rhaid i mi fynd i'r ysbyty'r diwrnod wedyn. Mi ges i archwiliad pelydr-x i ddechrau, ond wedyn dyma nhw'n penderfynu bod angen sgan hefyd. Yn fanno, gofynnodd un o'r nyrsys i mi dynnu fy nhrôns.

'Hold on,' me' fi, 'gwaelod fy nghoes dwi wedi 'i frifo.'

'Na, mae'n rhaid i mi fynd at y groin,' medda hi, 'rhag ofn bod 'na glot gwaed yn rwla.'

Rhoddodd dywel i mi guddio fy be-chi'n-galws, ac fel roedd hi'n ei roi o i mi dyma hi'n sbio arna i yn rhyfedd.

'O! Dwi'n nabod chi! Arwyn dach chi 'te?' meddai.

Sôn am embaras! Mi ges i fy nghadw i mewn am wythnos dda arall yn yr ysbyty, am eu bod nhw'n ofni bod clot yn fy ngwaed.

Doedd neb arall wedi gweld be ddigwyddodd y tu allan i'r llys, felly oni bai am y boi Sky News, a'r cydweithio 'ma sy'n digwydd rhyngon ni pan fo'r angen, faswn i ddim callach sut ddigwyddodd yr anaf. Dwi'n dal i gael gwayw yn y goes ar dywydd oer hyd heddiw, felly rhwng popeth, mae'n deg deud 'mod i wedi dioddef dros fy nghrefft.

Dwi wedi cydweithio efo sawl ffotograffydd o gwmni Trinity Mirror dros y blynyddoedd hefyd, a Phapurau'r *Herald* cyn hynny, ac wedi dod ymlaen yn dda iawn efo pob un, dwi'n falch o ddeud.

Dwi wedi enwi Hywel Hughes eisoes, a oedd yn gweithio yn Sir Fôn gan mwyaf, ond roedd 'na ffotograffydd arall yn gweithio yn Sir Fôn i ni hefyd: Gareth Jones o Gemaes. Mae Gareth yn ffotograffydd penigamp ac yn dipyn o gymêr, ac roedd y ddau ohonom yn mynd bob blwyddyn i sioe gamerâu yn yr NEC yn Birmingham.

Roedd Gwyn Roberts yn gweithio ar y *Bangor Mail*, ac yn tynnu lluniau i'r *Weekly News* hefyd. Dôi Gareth a Gwyn i mewn i'r swyddfa yng Nghaernarfon bob wythnos efo'u lluniau, nes i ni droi'n ddigidol.

Dros y blynyddoedd mi ges i help gan sawl un ddaeth ata i ar brofiad gwaith dros wyliau'r haf. Un a oedd â diddordeb mawr mewn ffotograffiaeth ac a ddaeth ata i am gyfnod pan oedd o'n 14 oedd Irfon Morris Jones o Dinas, ger Caernarfon. Mi fu'n dod acw i helpu wedyn bob cyfle gâi o am flynyddoedd yn ystod gwyliau'r ysgol. Mae o bellach yn athro Daearyddiaeth yn ysgol Botwnnog. Un arall ddaeth acw i helpu allan oedd Marc Hildige o Benygroes – hogyn ifanc brwdfrydig a chymwynasgar tu hwnt. Roedd Marc yn fy helpu i yn y stafell dywyll ac yn sganio negyddion cyn i ni fynd yn ddigidol, ond am ei fod o'n dipyn o *whizz kid* efo technoleg, yn ogystal â bod yn ffotograffydd da iawn, yn raddol mi gafodd o fwy a mwy o oriau, nes yn y diwedd roedd o'n gweithio'n llawn amser i'r cwmni. Mae o efo ni byth, ond yn swyddfa Lerpwl erbyn hyn.

Fel dwi wedi sôn eisoes, mae Tegwyn a Margaret ymhlith fy ffrindiau gorau. Er i mi gael help Tegwyn ar ôl colli'r lluniau etholiad yn 1979, doedd ein llwybrau ni ddim yn croesi'n aml iawn oherwydd eu bod nhw'n byw yn Nolanog ar ôl symud o Lanfyllin, ac roedd Teg yn gweithio lot i'r *County Times* a phapurau'r Canolbarth a'r Gororau. Ond ro'n i'n ei weld o adeg eisteddfodau'r Urdd a'r Genedlaethol, ac yn raddol mi ddaethon ni'n ffrindiau. Roeddan ni hefyd yn rhannu lluniau pan oedd un ohonom yn methu bod mewn dau le ar unwaith ar y Maes. Byddem yn dod ar draws ein gilydd mewn gwyliau cenedlaethol fel yr Ŵyl Gerdd Dant ac Eisteddfod y Ffermwyr Ifanc hefyd.

Roedd teulu Margaret yn dod o ochrau Moelfre, Sir Fôn, ac roedd ei thad, Murley Francis, yn un o griw bad achub Moelfre. Mi gafodd o fedal efydd yr RNLI am ddewrder fel un o griw'r bad a achubodd griw'r *Hindlea* pan aeth y llong ar y creigiau ger Moelfre yn 1959 – yn yr un lle â'r *Royal Charter*, a bron i ganrif union i'r diwrnod, yn ddiweddarach.

Ar ôl i'w plant adael y nyth, penderfynodd Tegwyn a Margaret symud yn ôl i Fôn i fyw, ac roedd ein llwybrau'n croesi'n llawer amlach wedyn. Mi fu'r ddau yn dda iawn efo fi ar ôl colli Mam, a dwi wedi gwneud mwy a mwy efo nhw yn y blynyddoedd diwethaf 'ma. Mae ffrindiau da yn werth y byd.

13

Pobol y geiriau

Yn ogystal â ffotograffwyr, mewn 40 mlynedd (a mwy erbyn hyn) efo'r *Herald*, dwi hefyd wedi cydweithio efo peth wmbredd o wahanol bobol ar yr ochr olygyddol – yn olygyddion, is-olygyddion, gohebwyr, cysodwyr a chyfieithwyr, heb sôn am yr adran hysbysebu, wrth gwrs.

Dwi am wneud rwbath peryglus rŵan a thrio rhestru'r gohebwyr y bûm yn gweithio efo nhw yn y gwahanol swyddfeydd, ac ychwanegu ambell stori am rai ohonyn nhw. Dwi'n siŵr o anghofio enwi rhywun, felly plis maddeuwch i mi. Mae 'na lot ohonach chi, ac mi fu rhai yn gweithio mewn swyddfeydd gwahanol, eraill yn ohebwyr yn ogystal â golygyddion, ac ambell un ddim ond acw am ychydig fisoedd cyn symud ymlaen i swyddi eraill, felly rhwng popeth mae'n anodd cofio pawb. Ella bydd y rhestr yma'n ddiflas i'r rhai ohonach chi sy ddim yn eu nabod nhw, ond mae cael enwi pawb yma yn bwysig i mi, felly dwi'n ymddiheuro am hynny hefyd.

Dwi eisoes wedi crybwyll rhai o'r criw o'r dyddiau cynnar, dyma ragor i chi (nid mewn unrhyw drefn neilltuol): Jeff Eames, Myfanwy Jones, Jane Owen, Bethan Gwyn, Nia Thomas, Rhys Owen, Wena Alun, Ioan Hughes, Aled Jôb, Ian Parri, Siôn Tecwyn, Dyfed Edwards, Jen Rowlands, Elin Llwyd Morgan, Carys Tecwyn (Roberts gynt), Penny Bosworth, Dafydd Norman Jones, Huw Prys Jones, Mary Garner, Non Griffith, Tudur Huws Jones, Liz Saville Roberts, Marina Elwin, Julie Jones, Anna-Marie Robinson, Eryl Crump, Neville Jones, Dylan Halliday, Brian Howes, Linda Roberts, Sharen Griffith, Siân Evans, Mari Jones, Ian Edwards, Trystan Pritchard, Tecwyn Hill,

Ian Jones, haid o Hughesiaid: Oswyn, Owen, Roland a Dewi; Paul Scott a'i wraig Sarah Marion Scott (Jones gynt), Gethin Jones, Richard Emlyn Rowlands, Siân Pritchard, Deian ap Rhisiart, Alex Hickey, Dion Jones, Rhodri Barker, Ffion Williams, Gareth Wyn Williams, Amelia Shaw a Ben Butler ... ac maen nhw'n dal i fynd a dod!

Mi soniais ynghynt am Liz Carter, y gohebydd amaeth. Ro'n i'n gwneud lot efo Liz, ac yn meddwl y byd ohoni. Roedd hi'n berson ffeind tu hwnt, a fyddai hi byth yn rhoi ei hun yn gyntaf. Yn yr wythdegau a'r nawdegau mi fu'n dioddef o ganser, ond fyddai hi byth yn cwyno, byth yn deud dim byd wrth neb am ei salwch, dim ond derbyn y sefyllfa a brwydro'n ddewr. Un felly oedd hi. Ond yn y diwedd roedd y clefyd yn drech na hi. Mi adawodd hi £1,000 yn ei hewyllys i mi er mwyn i mi drefnu gwylnos ar gyfer pawb oedd yn gweithio acw. Mi gawson ni beint neu ddau yn y Black Boy yng Nghaernarfon a phryd o fwyd ym mwyty Stones gerllaw, a chafwyd noson o hel atgofion amdani. Halen y ddaear oedd Liz. Ond mi fu bron i bethau fynd yn flêr yn ystod y noson gan fod Ken Griffiths o Lanrug wedi lluchio peint dros Dylan Halliday. Ond heb yn wybod i Dylan roedd godre ei grys wedi dechrau llosgi ar ôl cyffwrdd â channwyll, felly trio achub y sefyllfa oedd Ken, nid codi trwbwl!

Pan ymunais â'r papur roedd gynnon ni swyddfeydd ym Mhwllheli, Llangefni a Chaergybi yn ogystal â Chaernarfon, ac yn ddiweddarach agorwyd rhai ym Mhorthmadog a Bangor hefyd. Rhwng y rhain i gyd roedd 'na dipyn o fynd a dod acw o ran staff, ac yn aml roedd pobol yn symud o un swyddfa i'r llall i weithio.

Roedd cymeriadau ym mhob un o'r swyddfeydd, ac roedd yn bleser galw i mewn. Bu Ann Roberts – mam Osian Roberts, is-reolwr tîm pêl-droed Cymru, sydd wedi bod mor amlwg oherwydd campau Cymru yn yr Ewros – yn gweithio ar yr ochr hysbysebu yn swyddfa Llangefni am flynyddoedd. Roedd 'na Ann yn swyddfa Caergybi hefyd, felly roedd un yn Ann Llangefni a'r llall yn Ann Caergybi. Y gohebwyr dwi'n eu cofio yn Llangefni ydi Nia Thomas a Siôn Tecwyn (y ddau yn hoelion wyth efo'r BBC ers blynyddoedd), Aled Jôb, Dyfed Edwards, Tudur Huws Jones, Sharen Griffith a Siân Pritchard. Aeth Dyfed yn ei flaen i fod yn ddirprwy olygydd y *Weekly News*, ac wedyn i weithio efo'r *Daily Post* yn olygydd nos, ac yna ar wahanol bapurau yn Lloegr. Mae o bellach yn byw yng Nghaint ac, yn ogystal â gwneud ambell shifft i bapurau newydd yn Llundain, mae o'n awdur prysur a llwyddiannus iawn. Mae o a'i wraig, Marnie, yn ennill eu bywoliaeth drwy sgwennu, ac mae Dyfed wedi cyhoeddi nifer o lyfrau yn Saesneg dan yr enw Thomas Emson. Mae o hefyd wedi sgwennu nifer yn Gymraeg ac wedi cael llwyddiant yn yr Eisteddfod Genedlaethol – enillodd y Fedal Ddrama ddwy waith yn olynol yn 2008 a 2009, a daeth yn ail agos at ennill Gwobr Goffa Daniel Owen yn Eisteddfod Meifod 2015 hefyd, efo'i nofel *Iddew*.

Swyddfeydd bychan oedd y rhai allanol i gyd, ond roedd un Caergybi'n fychan iawn. Yno, dwi'n cofio gweithio efo merch o'r enw Jane Owen, a be dwi'n gofio fwyaf amdani hi ydi bod ganddi randir neu ardd fawr, ac mi fyddai hi'n dod â llysiau o bob math i mewn i'w rhannu. Ar ôl Jane daeth Myfanwy Jones, a oedd yn dipyn o gymêr ond yn ohebydd cydwybodol iawn. Rhai eraill dwi'n eu cofio yno, er na fûm i'n gweithio cymaint â hynny efo nhw, ydi Keith Harrison, Gethin Jones (sydd bellach yn swyddog y wasg efo Cyngor Môn), a Richard Emlyn Rowlands. Mae gen i deimlad fod Jen Rowlands wedi gweithio yn swyddfeydd Caergybi, Pwllheli a Chaernarfon, sy'n rhyw fath o record dwi'n siŵr. A rhywle yng nghanol y rhestr yna mi ddaeth 'na ferch arall i weithio i swyddfa Caergybi, merch sydd bellach yn Aelod Seneddol – Liz Saville Roberts. O Lundain y daw Liz yn wreiddiol ond mae hi wedi dysgu Cymraeg yn rhugl. Roedd hi'n ohebydd da, ond un peth dwi'n gofio amdani ydi bod ganddi filgi neu *lurcher* o'r enw Spider, ac roedd hi'n dod â fo i'r swyddfa efo hi bob dydd. Roedd o'n hogyn da, chwarae teg, yn gorwedd yn ddistaw dan y ddesg tan oedd hi'n amser cinio, ac wedyn roedd o'n cael mynd am dro. Symudodd Liz i weithio yn swyddfa Pwllheli ymhen cwpwl o flynyddoedd, ac mi fues i'n gweithio dipyn mwy efo hi wedyn, ond wnes i ddim dychmygu bryd hynny y byddai hi'n AS ryw ddydd.

Gohebwyr eraill y bûm i'n gweithio efo nhw ym Mhwllheli oedd Ian Parri, Jen Rowlands, Non Griffith, Anna-Marie Robinson a Siân Evans. Dwi'n cofio tynnu llun Anna, sy'n dod o Dal-y-sarn yn wreiddiol, i'r papur ar ôl iddi hi ddechrau swydd newydd yn llyfrgellydd Ysgol Glan-y-Môr, Pwllheli. Ychydig wythnosau wedyn roedd hi'n dechrau gweithio efo'r *Herald* fel gohebydd.

Tua chanol yr wythdegau, penderfynodd y cwmni agor swyddfa ym Mhorthmadog, a'r gyntaf i ddechrau gweithio yno oedd cymeriad hwyliog o'r enw Doris Cangini. Ar yr ochr hysbysebu oedd Doris, ac fel un o Borthmadog, roedd hi'n ddilynwr brwd ar dîm pêl-droed y dref. Y gohebwyr dwi'n gofio yno oedd Ioan Hughes, fu'n gweithio i'r *Cambrian News* a'r *Cymro* wedyn, Wena Alun, Mary Garner (fu yno am flynyddoedd), a Mari Jones, sy'n dal i weithio efo'r cwmni yng Nghyffordd Llandudno.

Ar ôl gwneud eu marc efo'r *Herald* roedd llawer o'n gohebwyr yn symud ymlaen i swyddi oedd yn talu'n well, a thros y blynyddoedd aeth nifer at y BBC. Yn ogystal â Siôn a Nia, mae Rhys Owen a oedd yn ohebydd yng Nghaernarfon, Wena Alun, Anna-Marie Robinson a Dewi Hughes, a fu'n ohebydd yng Nghaernarfon yn fwy diweddar, i gyd efo'r BBC. Mae 'na rai wedi mynd at ITV hefyd wrth gwrs, fel Ian Edwards sy'n gweithio ar *Byd ar Bedwar*, fel y soniais o'r blaen.

Dwi wedi gweithio efo sawl golygydd, yn cynnwys John Eilian, Tony Moores, Ted Thonger, Jeff Eames a Linda Roberts; ac ar yr ochr Gymraeg, Alun Lloyd, Siôn Tecwyn, Huw Prys Jones a Tudur Huws Jones. Does gen i ddim gair drwg i'w ddeud am 'run ohonyn nhw, ond ro'n i'n flin braidd pan ges i gerydd gan Ted Thonger am fod yn hwyr un diwrnod. Roedd hi'n eira mawr yn Rhosgadfan ar y pryd, ac ro'n i wedi gorfod cerdded lot o'r ffordd i'r Dre! Roedd ar bawb ofn Ted am ei fod o'n medru bod yn llym ei dafod ac yn orfeirniadol – a deud y gwir, chlywais i rioed mohono'n canmol dim! Mi aeth yn olygydd ar y *Weekly News* wedyn, er mawr ryddhad i lawer yng Nghaernarfon, dwi'n siŵr.

Roedd Alun Lloyd yn hollol wahanol i Ted. Roedd o'n ddyn hawddgar a chlên, ond er ei fod o'n ddyn deallus roedd o fymryn yn egsentrig. Mi welais i o'n dod i'r swyddfa efo dwy dei rownd ei wddf un tro, ac yn gwisgo dwy esgid wahanol am ei draed dro arall, felly gewch chi benderfynu os ydi 'mymryn' yn air addas yn fanna!

Mi ddaeth *Yr Herald Cymraeg* i ben fel cyhoeddiad annibynnol yn 2004. Roedd 'na brotestio a chwyno, wrth gwrs, ac mi oedd honno'n bennod drist yn ein hanes. Ond roedd cylchrediad y papur yn mynd i lawr yn flynyddol nes yn y diwedd mi benderfynodd y cwmni y gellid gwneud gwell defnydd o'r adnoddau, a throi'r papur yn atodiad wythnosol yn y *Daily Post.*

Mae cylchrediad pob papur wedi gostwng yn sylweddol yn y blynyddoedd diweddar, yn bennaf oherwydd dylanwad y we. Mae pobol yn cael eu newyddion ar-lein rŵan ac yn gallu ei ddarllen o am ddim yn unrhyw le ar unrhyw adeg ar eu ffonau symudol. Dwi'n siŵr bod papurau newydd wedi dioddef yn genedlaethol, ac ydyn, maen nhw'n dal i fynd, ond maen nhw'n dal i wynebu'r her fwyaf yn eu hanes.

Dyna ddigon o bregethu – yn ôl at yr atgofion! Nid gohebwyr a golygyddion yn unig sy'n gweithio ar bapur newydd – mae 'na weithwyr angenrheidiol eraill (neu mi oedd 'na pan oedd papurau yn anterth eu poblogrwydd) ac ar yr *Herald*, roedd hynny'n golygu cyfieithydd. Am ei bod hi'n ardal Gymraeg, roedd angen cyfieithu straeon a hysbysebion, hysbysiadau cyhoeddus ac unrhyw beth arall a godai. Y rhai dwi'n eu cofio'n bennaf yn y swydd yma ydi Owain Pennar, yn wreiddiol o Abertawe, Sian Eleri, sydd hefyd o'r de yn wreiddiol, ond sy'n byw yn Nhrefor (mam y prifardd Guto Dafydd a enillodd y Goron yn Llanelli 2015 a'i frawd Elis a enillodd y Gadair yn Eisteddfod yr Urdd Caerffili 2015); Melfyn Thomas o Benygroes, Gwynedd Williams o Gwm-y-glo a'r ddiweddar Haf Parri o Bwllheli. Mae Owain yn gweithio yn adran y wasg S4C ers blynyddoedd; aeth Mel i'r gwasanaeth iechyd, ond mae bellach yn cadw gwesty yng Nghapel Curig, a Gwynedd yn cyfieithu ac yn gwerthu llyfrau ail-law – mi welwch chi ei stondin ym mhob Eisteddfod Genedlaethol. Gyda llaw, mi fu Owain yn aros yn tŷ ni am ychydig tra oedd o'n cael ei draed dan'o, ac ro'n i'n flin braidd am y peth, oherwydd roedd o'n cael bacwn ac wy i frecwast bob bore gan Mam a finna ddim ond yn cael tôst ... os o'n i'n lwcus!

Mi fu Haf farw yn dilyn damwain tra oedd hi'n marchogaeth ei cheffyl. Roedd hi'n gweithio ar yr ochr newyddion bro yn ogystal â chyfieithu, sef y digwyddiadau dyddiadurol lleol hynny sydd fel bara menyn i bapurau wythnosol. Yr un sy'n dod i'r cof uwchlaw neb arall yn yr adran honno ydi Gaynor Jones o Bontnewydd. Gwraig Glyn, y soniais amdano eisoes a oedd yn un o'r cysodwyr acw, ydi Gaynor, ac fel llawer o bobol Pen Llŷn (o Gilan mae hi'n dod yn wreiddiol) mae hi'n halen y ddaear. Athrawes oedd Gaynor tan iddi droi at newyddiadura, ond hi oedd yn gyfrifol am yr adran newyddion lleol, a Chlwb y Plant yn yr *Herald Cymraeg,* am flynyddoedd ac yn gofalu fod eitemau newyddion pawb yn mynd i mewn yn gywir a thaclus. Am flynyddoedd roedd Janice Le Bon o Gaernarfon yn gweithio ochr yn ochr â hi yn gosod y deunydd – merch ddymunol, wastad â gwên ar ei hwyneb. Yna, ar ôl i Jan adael, daeth Siân Pritchard Jones o Glynnog acw, a rhyngddi hi, Haf a Gaynor, roeddan nhw'n rhoi trefn ar y domen o bytiau newyddion fyddai'n dod i'r swyddfa bob wythnos. Roeddan nhw wedi hen arfer dehongli sgwennu blêr rhai o'r gohebwyr lleol oedd yn anfon stwff i mewn.

Mae'r adran olygyddol o hyd yn mynnu mai prynu papur newydd er mwyn y straeon newyddion sydd ynddo mae pawb, ond fel arall yn hollol y mae'r adran hysbysebion yn ei gweld hi. Dwi ddim yn siŵr pwy sy'n iawn – dipyn bach o'r ddau mae'n debyg – ond mae 'na lai o gysylltiad rhwng y ddwy adran na fasa rhywun yn ei dybio, a dwi ddim yn siŵr be 'di'r rheswm am hynny. Mae'r ddwy adran fel tasan nhw'n ddrwgdybus o'i gilydd, rywsut. Ond dwi wedi gwneud lot efo criw'r adran hybysebion erioed, oherwydd fod angen lluniau efo hysbysebion neu erthyglau hybysebu. Dwi wedi gwneud ffrindiau arbennig o dda efo rhai ohonyn nhw, yn enwedig Betty Owen o Lanberis, Martin Williams o Bwllheli a Janice Roe o Laneilian. Bu Betty'n un o hoelion wyth yr *Herald* am flynyddoedd. Roedd hi'n dal yno ar ôl oed ymddeol arferol. Mi ddaeth hi'n ôl aton ni am flwyddyn neu ddwy ar ôl ymddeol hefyd, hyd yn oed! Mae Betty'n goblyn o gês ac yn ei deud hi fel y mae hi. *What you see is what you get* efo Bet, ond mae hi'n dallt y dalltings am faterion treth incwm a phethau ariannol i'r dim, ac mae hi wedi fy helpu fi efo pethau felly lawer gwaith. Mi fu'n gwneud pob math o bethau acw dros y blynyddoedd, yn cynnwys cyflogau a gweinyddu, rheoli'r dderbynfa, a gwerthu hysbysebion. Mae Martin a Janice yn dal i weithio efo ni, ac ers i swyddfa Caernarfon gau, mi ydan ni'n trio cael paned fach efo'n gilydd rŵan ac yn y man i roi'r byd yn ei le. Erbyn hyn, mae'r staff ar wasgar ar hyd y lle – rhai yn rhannu eu hamser rhwng y swyddfa a gweithio o'u cartrefi, ac eraill yn gweithio o'r swyddfa yn unig.

Merch o sir Fôn ydi Eirlys Griffith yn wreiddiol, ond mae hi bellach yn byw yn Awstralia. Cafodd Eirlys fedydd tân un tro pan fu'n rhaid iddi gamu i'r adwy ar fyr rybudd. Roedd Deiniol Tegid (sy'n wyneb a llais cyfarwydd i wrandawyr Radio Cymru a gwylwyr S4C fel swyddog y wasg Cyfoeth Naturiol Cymru) yn ohebydd ar y *Weekly News* yng Nghyffordd Llandudno ar y pryd, a fo oedd i fod i weithio efo fi yn Eisteddfod Genedlaethol Llanrwst yn 1989. Ond mi adawodd y cwmni wythnos neu ddwy cyn yr Eisteddfod am ei fod wedi cael swydd efo'r BBC, felly roedd yn rhaid i Eirlys druan, nad oedd erioed wedi gweithio mewn Eisteddfod o'r blaen, lenwi'r bwlch a dod yno efo fi. Ond chwarae teg iddi, mi wnaeth hi'n rhyfeddol, a dwi'n meddwl ei bod hi wedi mwynhau'r profiad. Mi fu Eirlys yn is-olygydd a dirprwy olygydd y grŵp yng Nghaernarfon wedyn.

Dwy arall y bûm i'n gweithio lot efo nhw oedd Non Griffith yn swyddfa Pwllheli, a Carys Tecwyn yn swyddfa Caernarfon – dwy ferch hawddgar a chlên yr oedd hi bob amser yn bleser gweithio efo nhw. Mi aeth Carys, sy'n dod o ochrau Wrecsam yn wreiddiol, i weithio ym Mhrifysgol Bangor, ac aeth Non i'r byd teledu. Roedd hi wedi ymddangos yn y gyfres boblogaidd honno, *Jabas*, ond nid yn ôl i fyd actio yr aeth hi, ond i ymuno efo criw *Hel Straeon*. Erbyn hyn mae hi'n gweithio lot efo Cwmni Da, a Non sy'n gyfrifol am y syniad tu ôl i'r gyfres boblogaidd iawn honno, *Fferm Ffactor*, sydd wedi cael ei gwerthu dramor erbyn hyn hefyd.

Yn 1995, toc ar ôl i Non ymuno â *Hel Straeon* mi ges i syniad – un o'r syniadau gwallgof hynny dwi'n eu cael o dro i dro! Ar y pryd roedd y papur yn rhedeg cyfres o straeon am ferch o Bwllheli, Amanda Morris. Roedd Amanda'n dioddef o diwmor ar ei hymennydd, ac roedd 'na ymgyrch i godi arian iddi gael llawdriniaeth arbenigol yn Efrog Newydd. Fy syniad i oedd ymweld â set pump o wahanol operâu sebon mewn diwrnod – *Brookside* yn Lerpwl, *Coronation Street* ym Manceinion, *Emmerdale* rhywle yn swydd Efrog, *EastEnders* yn Llundain a *Pobol y Cwm* yng Nghaerdydd. Y criw aeth ar y trip efo fi oedd Tudur Huws Jones, Dylan Halliday, ac Anna-Marie Robinson, ond roedd Non a chriw camera *Hel Straeon* yn ein dilyn ni hefyd, er mwyn gwneud eitem ar gyfer y rhaglen. Bob hyn a hyn yn ystod y dydd roeddan ni'n siarad efo un o gyflwynwyr Radio Cymru yn fyw ar yr awyr. Fy nhro i oedd hi i sgwrsio efo Hywel Gwynfryn, ond pan ofynnodd o i ble roeddan ni'n mynd nesaf, fedrwn i yn fy myw â chofio enw *Emmerdale*, a'r cyfan fedrwn i ddeud oedd 'ym ...ym ... y ffarm 'na!' Roeddan ni'n cyfarfod aelodau o'r cast yn y gwahanol lefydd, ac yn cael ychydig o nwyddau'n gysylltiedig â'r rhaglenni er mwyn eu gwerthu mewn ocsiwn oedd i'w chynnal i godi pres at gronfa Amanda. Wnaeth pethau ddim dechrau'n rhy dda pan aethon ni ar goll yn Lerpwl. Roedd hi'n amlwg bod rhywbeth o'i le achos roedd y lôn fach 'ma roeddan ni'n ei dilyn, gan feddwl ein bod ar y ffordd i stiwdios *Brookside*, yn mynd yn gulach ac yn gulach a'r coed bob ochr iddi yn mynd yn fwy trwchus, nes ei bod hi fel dreifio mewn jyngl. Roeddan ni wedi landio mewn parc yn rhywle. Roedd hyn ymhell cyn dyddiau *sat nav*, ond mi ddaethon ni o hyd i'r lle yn y diwedd.

Pan gyrhaeddon ni stiwdios Elstree yn Llundain, roedd 'na gannoedd o bobol yn disgwyl amdanon ni. 'Sut ddiawl mae'r rhain wedi clywed amdanon ni?' meddan ni. Ond erbyn deall roeddan ni wedi mynd i'r stiwdios anghywir. Yno i weld y grŵp Take That yn ffilmio *Top of the Pops* Nadolig oeddan nhw, nid i'n cyfarch ni! Ond ar ôl dod o hyd i stiwdios *EastEnders* mi ddaeth Natalie (Lucy Speed) a Bianca (Patsy Palmer) allan o'u hymarferion i gwrdd â ni, chwarae teg. Roedd Dylan wrth ei fodd. Dwi'n meddwl ei fod o'n dipyn o ffan (o Patsy Palmer os nad *EastEnders*). Ond yr uchafbwynt, a'r croeso gorau o bell ffordd, oedd criw *Pobol y Cwm* yng Nghaerdydd. Roedd hi'n wyth o'r gloch y nos erbyn i ni gyrraedd, ond roedd nifer o'r cast, yn cynnwys y diweddar Huw Ceredig, wedi aros ar ôl i'n cyfarch ni efo siampên. Doeddwn i ddim yn dilyn llawer ar y *soaps* Saesneg, a dwi'n cofio troi at Huw a deud: 'Diolch i'r nefoedd – dwi'n nabod rhywun o'r diwedd!'

Ro'n i'n nabod Dylan Halliday cyn iddo ymuno â staff *Yr Herald*. Roedd o'n dod o'r Fron, sef y pentref drws nesaf i Rosgadfan. Cartrefle oedd enw tŷ'r ddau ohonom ac roedd 'na lythyrau'n mynd i'r tŷ anghywir o bryd i'w gilydd. Roedd Dylan yn goblyn o chwaraewr pêl-droed da – mi chwaraeodd i Borthmadog yn Uwch Gynghrair Cymru ar un adeg. Ond mi fuodd o'n chwarae i dîm Nantlle Vale hefyd, ac roeddan ni'n gwneud lot efo'n gilydd bryd hynny, rhwng y bêl gron a'r Ŵyl Fai.

Mi wnaeth Dylan, Anna a fi sialens ddifyr arall yn 1996, i godi pres at Age Concern Gwynedd a Môn. *Jailbreak* oedd enw'r sialens, ac roedd timau o hyd at bedwar aelod yn cael eu cau mewn cell yng Ngharchar Biwmares (doeddan nhw ddim yn ein cloi ni i mewn). Yr amcan oedd i bob tîm deithio mor bell â phosib mewn 24 awr heb wario 'run geiniog, a ffonio'r trefnydd, Robin Jones, ar ddiwedd y 24 awr i ddeud lle roeddan nhw. Roedd rhai wedi cyrraedd llefydd fel Caernarfon, Portmeirion, Pen Llŷn ac yn y blaen, ond pan ffonion ni Robin doedd o ddim yn ein coelio ni.

'Lle? Amsterdam?! Ti'n tynnu 'nghoes i!'

Roedd yn rhaid i ni dynnu lluniau a'u e-bostio nhw iddo fo cyn y basa fo'n ein coelio ni. Roedd rhywun o Garej Dinas wedi'n codi ni ym Miwmares ac wedi mynd â ni i faes awyr Manceinion. Roedd gen i ffrind yn fanno oedd yn gweithio efo British Airways ac roedd hwnnw wedi cael lle i ni ar awyren i Amsterdam. Roedd ganddo fo ffrind oedd yn rheolwr gwesty crand yn y ddinas honno, felly mi gawson ni aros yn fanno am ddim hefyd – a dod yn ôl yr un ffordd. Ni oedd wedi mynd bellaf o'r holl dimau, ac mi lwyddon ni i godi swm reit dda i'r achos hefyd.

Ymhlith y gohebwyr eraill y cefais y pleser o'u cwmni yng Nghaernarfon mae Tecwyn Hill o Nebo, Sian Pritchard o Fôn, Brian Howes o Borthmadog, Neville Jones o Langefni, Julie Williams (Jones gynt) o Lannerch-y-medd yn wreiddiol, sydd bellach yn swyddog y wasg yn yr Amgueddfa Lechi yn Llanberis, ac Eryl Crump o Flaenau Ffestiniog yn wreiddiol, sy'n dal efo'r cwmni ac yn ohebydd efo'r *Daily Post*. Dwi wedi gweithio lot efo Eryl mewn Eisteddfodau Cenedlaethol ers sawl blwyddyn bellach.

Tra dwi'n enwi pawb, 'swn i'n lecio rhoi mensh sydyn i'r 'brodyr Hughes' (dydyn nhw ddim yn frodyr go iawn!): Oswyn o Lanbedrog, sy'n swyddog y wasg efo'r Loteri Genedlaethol erbyn hyn; Roland o ochrau Prestatyn, fu'n gweithio fel newyddiadurwr yn Dubai ar ôl gadael y cwmni (dwi ddim yn rhy siwr be 'di ei hanes o bellach); Dewi, sy'n gweithio yn adran chwaraeon y BBC; ac Owen, fu'n gweithio yng Nghaergybi a Bangor, ac sydd bellach yn ohebydd busnes i'r *Daily Post*.

Mae Caernarfon wedi gefeillio efo Landerne yn Llydaw, ac

mae'r berthynas wedi bod yn un dda i'r ddwy dref. Mae dawnswyr gwerin, corau ac unigolion wedi bod yn mynd drosodd yno'n rheolaidd, a'r Llydawyr yn dod yma hefyd. Dwi wedi bod yno dair gwaith i gofnodi'r gweithgareddau, ac mae 'na ohebydd wedi bod efo fi bob tro. Julie ddaeth drosodd gyntaf, wedyn Siân Evans, neu Siân Boduan, sy'n ohebydd efo *Golwg* erbyn hyn. Coblyn o gês arall. Wedyn mi ddaeth Tudur Huws Jones efo fi. Doeddwn i ddim yn deall llawer o Ffrangeg ond mi *oedd* Julie, ac roedd hynny'n help mawr, wrth gwrs. Ond ro'n innau'n dysgu ambell air hefyd – digon ar gyfer y pethau angenrheidiol mewn bywyd, o leiaf. Ar ôl 'laru mynd i'r bar mor aml i archebu cwrw mewn gwydr oedd fawr mwy na hanner peint, mi ddysgais frawddeg ddefnyddiol iawn: 'Excusez-moi, une grande bière s'il vous plaît'.

Roedd enw Dafydd Norman Jones yn un cyfarwydd iawn i ddarllenwyr *Yr Herald* o'r wythdegau hyd at ddechrau'r ganrif bresennol. Fo oedd yn gohebu o'r rhan fwyaf o gyfarfodydd cynghorau Gwynedd ac Arfon, a Chyngor Tref Caernarfon. Ond roedd o hefyd yn ohebydd llys, er na fyddech yn gweld ei enw ar y straeon hynny – 'Gohebydd *Yr Herald*' neu '*Herald* Reporter' oedd arnyn nhw, rhag ofn i rywun ymateb i un o'r straeon. Oherwydd ei brofiad a'i law-fer berffaith, roedd Dafydd yn gwbwl ddibynadwy ar gyfer y math yna o beth. Roedd o wedi bod yn gweithio efo'r *Weekly News* a'r *Bangor & Anglesey Mail* cyn dod at *Yr Herald.* Mi fu'n gweithio ar *Y Cymro* cyn hynny, ac roedd o'n gaffaeliad i'r papur am ei fod yn newyddiadurwr o'r hen deip, ac yr un mor gyfforddus yn sgwennu yn Gymraeg neu Saesneg.

Un arall o gyfnod y nawdegau hwyr a'r ganrif bresennol oedd Trystan Pritchard o Fethesda. Pan dwi'n meddwl am Trystan, dwi'n cael fy atgoffa o un o'r jobsys cynta yr es i arni efo fo. Roeddan ni wedi cael ein gyrru i Chwarel

Dorothea yn Nhal-y-sarn. I'r rhai sydd ddim yn gwybod, mae twll y chwarel wedi llenwi efo dŵr ers blynyddoedd, ac mae deifwyr yn dod o bell ac agos i ymarfer yno. Aeth llawer o ddeifwyr i drafferthion yno dros y blynyddoedd. Mae 'na amryw wedi marw yno hefyd, yn anffodus, a dyna oedd wedi digwydd y diwrnod arbennig hwnnw. Roedd 'na adroddiadau bod dau ddeifiwr ar goll. Pan gyrhaeddon ni, mi aeth y ddau ohonan ni i lawr at y lanfa a siarad efo tri deifiwr o Gaer oedd yn mynd i lawr i chwilio am y rhai oedd ar goll. I lawr â nhw, ond ymhen chwarter awr – neu lai ella – mi ddaeth 'na ddau yn ôl i fyny.

'We've got a problem,' meddai un, 'we've lost one of our colleagues.'

Roedd hwn hefyd wedi boddi, mae'n amlwg, a dyma fi'n sbio draw at Trystan, gan mai newydd ddechrau efo ni oedd o, ac roedd o'n wyn fel y galchen. Creadur. Roedd y sioc yn ormod iddo fo! Y pnawn hwnnw roedd y ddau ohonan ni yn ymweld â Chlwb Pêl-Droed Caernarfon lle roeddan nhw'n agor eisteddle ac ystafelloedd newid newydd. Mi gawson ni ein tywys rownd y lle er mwyn sgwennu'r stori, ac fel yr oeddan ni ar fin mynd i mewn i weld yr ystafelloedd newid dyma'r person oedd yn ein harwain ni'n deud bod rhaid i ni dynnu ein hesgidiau cyn cael mynediad. Edrychodd Trystan yn hurt arno fo, wedi dod ato'i hun erbyn hynny, ac ebychu: 'Mi fydd 'na 22 o styds a sgidiau mwdlyd yn cerdded drwy fama dydd Sadwrn, a ti isio i ni dynnu'n sgidia?' Ond eu tynnu nhw fu raid.

Stori arall sy'n dod i'r cof ydi cynhebrwng Jack Evans ym Mhorthmadog yn 1991. Roedd Jack yn filiwnydd ac wedi gwneud ei ffortiwn yn niwydiant olew yr Unol Daleithiau, ac yno y bu farw. Ei ddymuniad oedd i'w lwch gael ei gladdu ym medd ei fam ym Mhorthmadog, ond roedd o isio iddo fod yn achlysur i'w gofio. Ac mi oedd o!

Roedd y gist fechan oedd yn cynnwys ei lwch ar drol grand yn cael ei thynnu gan ddau geffyl du efo plu ar eu pennau. Roedd o wedi trefnu i 300 o gyfeillion, yn cynnwys ei weddw, Jean, ddod drosodd i'r angladd, ac roeddan nhw'n gorymdeithio drwy stryd fawr Port, yn cael eu harwain gan fand jazz traddodiadol o New Orleans. Yno hefyd yr oedd Côr Meibion Madog (Jack oedd eu llywydd). Welodd Port ddim byd tebyg cynt nac wedyn. Be dwi'n gofio am yr achlysur ydi fy mod i'n hwyr braidd yn cyrraedd. Cael a chael oedd hi, ond mi ges i luniau. Rhedais wedyn am y car i fynd i'r fynwent, ond doeddan ni ddim yn cael mynd i fanno am ryw reswm. Ar brofiad gwaith efo fi y diwrnod hwnnw roedd Dafydd Gwynn, sy'n ohebydd efo'r BBC ers tipyn bellach. Dwi'n siŵr ei fod o hefyd yn cofio'r digwyddiad yn iawn.

Mae sawl priodas wedi bod rhwng staff *Yr Herald* dros y blynyddoedd. Mi fedra i feddwl am dair rŵan – Siôn a Carys Tecwyn, Tudur Huws Jones ac Anna-Marie, a Paul a Sarah Marion Scott, y fo'n Sgowsar a hithau'n hanu o Chwilog. Ac mae 'na obaith am un arall yn fuan, sef Dion Jones, a'i ddyweddi, Ffion. Mae Ffion wedi gadael y cwmni erbyn hyn ac yn gweithio efo Cyngor Gwynedd, ond mae Dion yn dal efo ni ac yn gweithio ar yr ochr ddigidol yng Nghyffordd Llandudno.

Oeddan, roedd y dyddiau pan oedd yr *Herald* a'r papurau eraill yn eu hanterth yn rhai da, ond o'r holl swyddfeydd allanol oedd gynnon ni ar un adeg, cau fu hanes pob un yn eu tro wrth i'r esgid wasgu ar y diwydiant papurau newydd. A dyna fu tynged y brif swyddfa yng Nghaernarfon yn 2015 hefyd, gan ddod â 176 mlynedd o draddodiad i ben yn y dref. Mae gan y cwmni swyddfa fawr yng Nghyffordd Llandudno, ac yn fanno mae'r rhan fwyaf o'r gohebwyr, is-olygyddion a golygyddion yn gweithio bellach, ac eraill yn gweithio o'u cartrefi. Mae'r papurau'n dal i fynd – er cymaint o newid sydd wedi bod. Yn y gorffennol roedd gynnon ni dîm yn gweithio ar *Yr Herald* a'r *Mails*; tîm i grŵp y *Weekly News*, a thîm arall eto i'r *Daily Post.* Erbyn hyn un tîm sydd yn cyfrannu i'r papurau i gyd. Ydi wir, mae'r oes wedi newid.

O. P. Huws a finna. Na, tydw i ddim yn dechra ffeit efo fo!

Swyddfa'r Wasg yn Eisteddfod yr Wyddgrug 1989: Dafydd Norman Jones, Dyfed Evans, Irfon Morris Jones, Dyfed Edwards, fi a Mel Thomas.

14
Sêr y gorffennol ... a'r dyfodol

Yn ystod fy ngyrfa dwi wedi tynnu lluniau degau o blant a phobol ifanc sydd wedi mynd ymlaen i fod yn llwyddiannus iawn mewn gwahanol feysydd, ac mi fydda i'n teimlo balchder wrth eu gweld nhw heddiw. Nid fy mod i wedi chwarae rhan yn eu llwyddiant, ond dwi wedi bod yno i gofnodi eu taith, fel petai.

Does 'na ddim amheuaeth ynglŷn â'r esiampl amlycaf: Bryn Terfel, wrth gwrs. Mae'n anhygoel meddwl bod yr hogyn ysgol o Bant-glas dwi'n ei gofio'n dechrau cystadlu mewn eisteddfodau bach yng Ngwynedd, yn seren opera fyd-enwog erbyn hyn ac wedi canu yn nhai opera mwya'r byd efo cantorion enwoca'r blaned. Disgybl yn Ysgol Dyffryn Nantlle oedd o pan ddaeth i amlygrwydd yn lleol am y tro cyntaf, wedyn mi ddechreuodd ennill yn eisteddfodau'r Urdd a'r Genedlaethol. Dwi'n cofio tynnu ei lun o yn ei eisteddfod olaf fel cystadleuydd, ym Mhorthmadog yn 1987. Dilyn ei yrfa wedyn, bob cam, gan gynnwys y tro hwnnw yn Llundain, pan ddechreuodd yn y coleg, ac, wrth gwrs, Gŵyl y Faenol, yr ŵyl gerddorol anhygoel a sefydlodd o yn 2000. A wyddoch chi be? Mae o'n dal yn union yr un fath ag yr oedd o ar y dechrau. Dydi'r enwogrwydd ddim wedi mynd i'w ben o. Does 'na ddim byd yn fawreddog yn Bryn – mae o wastad yn hollol ddiymhongar ac mae'n bleser bod yn ei gwmni.

Dwi'n cofio'r ŵyl gyntaf un yn y Faenol, oherwydd y glaw ofnadwy a gafwyd yn ogystal â'r adloniant. Michael Ball oedd un o'r enwau mawr oedd yn cymryd rhan, ac mi oedd 'na gystadleuaeth ar y diwedd rhwng tân gwyllt swyddogol yr ŵyl ar y naill law a mellt a tharanau mwyaf dychrynllyd ar y llaw arall. Ond roedd hi'n llwyddiant, a phawb wedi mwynhau. Mi gydiodd y syniad, a daeth yn ddyddiad pwysig iawn yng nghalendr pobol gogledd Cymru a thu hwnt am nifer o flynyddoedd.

Drwy gyfrwng yr ŵyl, dwi wedi cael cyfle i dynnu lluniau nifer o enwogion. Doeddan ni ddim yn cael cyfle i sgwrsio'n iawn efo nhw, dim ond rhyw air bach sydyn wrth dynnu eu lluniau ar y llwyfan tra oeddan nhw'n ymarfer, fel rheol. Ond roedd hynny'n rhoi syniad go lew i chi o sut bobol oeddan nhw. Roedd y rhan fwyaf yn bobol neis iawn, ond roedd 'na ambell eithriad. Ro'n i'n cael y teimlad bod Martine McCutcheon – y gantores fu'n actio yn *EastEnders* – yn meddwl ei bod hi'n well na phawb arall. Ella mai nerfus oedd hi, ond ro'n i'n teimlo ei bod hi'n sbio i lawr ei thrwyn arnon ni. Bosib nad ydi hi'n hoff iawn o ffotograffwyr, fel un arall y byddaf yn sôn amdani yn y munud. Ond roedd yr actores a'r gantores o Lerpwl, Claire Sweeney, ar y llaw arall, yn hollol wahanol. Cyn canolbwyntio mwy ar ganu, roedd hi'n rhan o'r gyfres sebon *Brookside*, ac roedd hi'n ferch hyfryd. Doedd 'na ddim byd yn ormod o drafferth o ran cael tynnu ei llun. Roedd Michael Ball felly hefyd. Boi neis iawn.

Un o'r sêr mwyaf dwi'n ei chofio yn y Faenol ydi Shirley Bassey yn ei ffrogiau crand, yn cynnwys un efo'r Ddraig Goch arni, ac yn gwisgo feather boa am ei gwddf. Roedd hi'n seren go iawn, ac yn annwyl hefyd.

Un o'r gwesteion un flwyddyn oedd Will Young, y canwr a oedd wedi ennill cystadleuaeth *Pop Idol* yn 2002. Roeddan ni'r ffotograffwyr i gyd yn ein lloc arbennig o flaen y llwyfan yn disgwyl amdano fo, pan ddaeth y boi 'ma ymlaen, yn gwisgo het mynd-a-dŵad fatha Sherlock Holmes, a chôt o frethyn cartref.

'Pwy ddiawl 'di hwn?' gofynnais i mi fy hun. 'Mae o'n canu'n o lew, chwarae teg, pwy bynnag ydi o.'

Ymhen tipyn dyma Kerry, ffotograffydd papurau'r *Chronicle* yn rhoi pwniad i mi a gofyn: 'Aren't you taking any pictures of him, Arwyn?'

'No, I'm waiting for this blydi Will Young,' medda fi.

Dyma Kerry'n chwerthin. 'Arwyn ... this *is* Will Young!' medda fo.

Ro'n i'n disgwyl gweld boi efo gwallt sbeics, fatha draenog – ond ro'n i wedi drysu rhwng Will Young a Gareth Gates, sef y boi ddaeth yn ail iddo fo ar *Pop Idol*. Wel, fel y mae pawb sy'n fy nabod i'n gwybod, mi allwn sgwennu fy holl wybodaeth am y sîn gerddoriaeth Seisnig ar gefn stamp.

Mae 'na reolau reit gaeth mewn digwyddiadau fel hyn, ac maen nhw'n amrywio o artist i artist ac o le i le; ond fel arfer chewch chi ddim ond tynnu lluniau yn ystod y ddwy neu dair cân gyntaf a'r gân olaf. Dyna ydi'r drefn, rhag amharu gormod ar yr artistiaid. Cyn dyddiau Gŵyl y Faenol, dwi'n cofio rhyw gig yn cael ei threfnu ar y Cei Llechi yng Nghaernarfon efo nifer o artistiaid yn cynnwys Bros ac Emma Bunton o'r Spice Girls. Yr hyn dwi'n gofio fwyaf am y digwyddiad ydi ein bod ni wedi gorfod addo peidio tynnu llun tin Emma Bunton! Wir i chi! Mi oedd 'na rywbeth wedi bod yn rhedeg yn y *Sun* am ei thin hi, mae'n debyg, a doedd hi ddim yn hapus o gwbl am y peth. Roedd hi'n amheus iawn o ffotograffwyr y wasg ac roedd yn rhaid i ni arwyddo dogfen yn addo peidio tynnu llun ei phen-ôl hi. Dim ond yn ystod y ddwy gân gyntaf roeddan ni'n cael tynnu lluniau ohoni ond dwi'n cofio'r ffotograffwyr i gyd yn stopio ar ôl y gân gyntaf, ac yn troi eu cefnau arni hi. Ffotograffwyr y wasg o Lundain oedd y rhan fwyaf ohonyn nhw, felly mae'n siŵr mai rhyw fath o brotest oedd o oherwydd y cyfyngiadau a'r drwgdeimlad oedd rhyngddyn nhw a hi, am wn i. A rhag i mi edrych yn wahanol, mi wnes innau 'run fath â nhw!

Yn y 1970au a'r 1980au mi agorodd tipyn o glybiau nos ar draws y gogledd, megis y Majestic yng Nghaernarfon (y Dome fel y cafodd ei enwi'n ddiweddarach), yr Octagon ym Mangor a rhai yn Llandudno a Rhyl a llefydd felly. Doedd o ddim yn beth anghyffredin i actorion o'r operâu sebon mawr fel *Coronation Street* a *Brookside* wneud ymddangosiadau personol ynddyn nhw, gan mai dim ond tuag awr i ffwrdd ym Manceinion a Lerpwl roeddan nhw. Dwi ddim yn cofio enwau pawb na'r achlysuron yn benodol – yn aml iawn doeddan nhw ddim yn gwneud llawer, heblaw cyrraedd yno, pôsio am chydig o luniau efo'r cwsmeriaid a chael llymaid neu ddau, cyn ei heglu hi oddi yno. Ond roedd o'n dda i'r busnes, wrth gwrs.

Un o brif gymeriadau *Brookside* yn y 1980au a'r 1990au cynnar oedd Barry Grant (Paul Usher) ac mi ddaeth i'r Majestic un noson. Roedd Damon, ei frawd yn y gyfres a oedd yn cael ei bortreadu gan Simon O'Brien, yno hefyd os dwi'n cofio'n iawn.

Un arall wnaeth argraff arna i am ei fod o'n foi mor glên oedd Michael Le Vell, sy'n dal i actio rhan Kevin Webster yn *Coronation Street.* Boi hollol normal a hawdd gwneud efo fo.

Mae un ymweliad arall o'r math yma wedi aros yn y cof. Ar un adeg roedd Curly Watts yn un o brif gymeriadau *Coronation Street.* Roedd Curly yn briod â Raquel, oedd yn cael ei chwarae gan Sarah Lancashire, ac roedd y ddau ymhlith y cymeriadau mwyaf poblogaidd mewn unrhyw opera sebon ar y pryd. Felly pan ddaeth Kevin Kennedy, a oedd yn chwarae rhan Curly, i'r Ganolfan ym Mhorthmadog i feirniadu cystadleuaeth Miss Porthmadog, mi oedd 'na dipyn o gynnwrf o gwmpas y dref. A deud y gwir, roedd yn rhaid i mi achub ei groen o rhag cael ei fobio gan y dorf! Mi oedd o isio mynd yn ôl at ei gar ar ddiwedd y noson, ond roedd hwnnw ym maes parcio gwesty ym mhen arall y dref. Rŵan, dwi ddim yn siŵr ai anghytuno efo'i benderfyniadau fel beirniad oeddan nhw, ta jest isio dangos eu gwerthfawrogiad, ond pan ddaeth o allan o'r Ganolfan mi aeth haid o ferched ar ei ôl o! Roedd yn rhaid i mi roi lifft iddo yn fy nghar i, neu mi fasan nhw wedi'i larpio fo, dwi'n siŵr! Mi fues i'n siarad efo fo am sbel, ac roedd o'n foi neis ofnadwy, chwarae teg. Canu gwlad oedd ei bethau fo.

Ond i fynd yn ôl at y bobol ifanc dalentog sydd gynnon ni yng ngogledd Cymru ... mae rhywun yn dod ar eu traws nhw drwy'r adeg mewn eisteddfodau bach, ac yn enwedig eisteddfodau'r Urdd.

Dwi'n cofio Rhys Meirion yn cystadlu mewn eisteddfodau, a dwi wedi tynnu ei lun o droeon ar hyd ei yrfa, ac wedi dod i'w adnabod o'n dda. Dwi ddim wedi gwneud fawr ddim efo'i daith gerdded elusennol flynyddol, Cerddwn Ymlaen, ar wahân i dynnu lluniau pan oedd y criw yn cyrraedd Caernarfon un waith. Mi sefydlodd y daith ar ôl colli ei chwaer, Elen, mewn damwain yn ei chartref. Wna i byth anghofio'r geiriau sgwennodd Rhys ar y we amdana i ychydig wedi'r ddamwain pan oedd o'n canu yng nghyngerdd agoriadol Eisteddfod yr Urdd Eryri yn 2012. Dwi wastad yn mynd i ymarferion llawn cyngherddau a nosweithiau fel hyn, rhag i mi amharu gormod wrth dynnu lluniau yn ystod y cyngerdd go iawn, ac mi dynnais lun ohono'n canu 'Anfonaf Angel' – cân boblogaidd Robat Arwyn a Hywel Gwynfryn, yno. Pan welodd Rhys y llun, mi roddodd neges ar Facebook yn deud fy mod wedi dal y foment, a'r teimlad yn y gân, yn berffaith. Roedd o mor hoff o'r llun, mi ddewisodd ei ddefnyddio ar glawr ei hunangofiant, ac mi ges i'r fraint o dynnu llun ar gyfer clawr ei CD efo Robat Arwyn yn ddiweddarach hefyd.

Mae'r canwr opera Gwyn Hughes Jones o Lanbedr-goch yn un arall dwi wedi bod yn tynnu ei lun ers blynyddoedd. Mae'n anhygoel meddwl ei fod yntau wedi hogi ei grefft mewn eisteddfodau bach a mawr ers canol y 1980au, a'i fod o, fel Bryn Terfel, wedi mynd ymlaen i wneud enw iddo'i hun yn rhyngwladol.

Yn ddiweddar iawn, ro'n i'n gwylio gemau tîm rygbi Cymru yn erbyn y Crysau Duon yn Seland Newydd, a phwy oedd yn canu 'Hen Wlad Fy Nhadau' cyn y chwiban gyntaf ond Elin Thomas, merch o Bentreuchaf. Dwi wedi tynnu llun Elin mewn dwsinau o eisteddfodau ers pan oedd hi'n ddim o beth, ac ro'n i'n falch iawn o'i gweld hi'n canu yn Seland Newydd, lle mae hi wedi ymgartrefu ac yn athrawes gerdd. Mi wnes i yrru neges iddi ar Facebook i'w llongyfarch hi. Dwi'n ei chofio hi'n ennill yn Eisteddfod yr Urdd, a finnau'n pasio'i chartref hi'r wythnos wedyn a gweld baner fawr tu allan yn ei llongyfarch hi.

Wrth sôn am yr Urdd, dwi'n cael fy atgoffa o ambell stori yn gysylltiedig â'r mudiad. Dwi bellach ar fwrdd celf a chrefft yr Urdd, ond pan oedd yr ŵyl yn Nyffryn Nantlle yn 2012, ro'n i ar y Pwyllgor Gwaith a'r Pwyllgor Cyhoeddusrwydd. Wythnos cyn y Steddfod roedd y tywydd yn fendigedig, a honno oedd wythnos yr Eisteddfod i fod yn wreiddiol, ond fe symudwyd hi oherwydd dathliadau 60 mlwyddiant y Frenhines, ac mi gawson ni'r wythnos waethaf posib o ran tywydd. Glaw trwm a mwy o law trwm. Roedd hynny'n ddigalon iawn, mae'n rhaid i mi gyfaddef. Roedd criw'r Pwyllgor Gwaith, a phwyllgorau eraill, wedi gweithio'n ofnadwy o galed i godi arian, a thrwy ryw ryfedd wyrth, fe wnaed elw. Mi weithiodd y criw maes parcio a'r hogiau ar y maes yn wych o dan yr amgylchiadau.

Yn yr wythnosau'n arwain at yr Eisteddfod honno, mi benderfynon ni gyhoeddi cyfres o erthyglau yn dangos gwahanol agweddau ar Ddyffryn Nantlle. Roedd yr Eisteddfod yn cael ei chynnal ar safle Glynllifon – hen gartref teulu'r Arglwydd Newborough, sydd bellach yn barc gwledig a choleg amaethyddol. Un wythnos ro'n i wedi mynd i'r parlwr godro yn y coleg i dynnu lluniau, ac fel ro'n i'n plygu i lawr ar fy nghwrcwd i dynnu llun dyma'r fuwch 'ma'n penderfynu piso ar fy mhen i nes ro'n i'n socian. Mi achubais y camera, a drwy lwc, dwi ddim yn byw yn bell iawn o Lynllifon felly mi es i adra i newid.

Mae'n rhaid bod yr Urdd a gwartheg yn dod ag anlwc i mi, achos mi ges i anffawd arall pan oedd Eisteddfod yr Urdd yn y Bala yn 2014. Mi oedd Neges Ewyllys Da y mudiad yn cael ei chyhoeddi o gartref Hedd Wyn, yr Ysgwrn yn Nhrawsfynydd, ychydig cyn yr ŵyl. Ro'n i wedi bod yn Yr Ysgwrn o'r blaen, a phob tro dwi'n mynd yno dwi'n cael rhyw ias i lawr fy nghefn a chroen gŵydd. Mae'r lle yn arbennig oherwydd hanes Hedd Wyn, wrth gwrs, ond nid hynny sy'n rhoi croen gŵydd i mi. Yr hyn sy'n gwneud hynny i mi bob tro ydi gweld y mwg yn codi o'r simdde. Roedd addewid wedi'i wneud flynyddoedd yn ôl y byddai 'na dân ar aelwyd Yr Ysgwrn bob dydd, ac fe ofalodd nai Hedd Wyn, Gerald Williams, fod hynny'n digwydd, ac yn dal i ddigwydd.

Ta waeth, wrth gychwyn oddi yno, ac wrth gerdded i lawr i agor y giât ar y lôn fach, mi lithrais i ar fy mhen ôl i ganol baw buwch, a hwnnw'n ffres. Dim ond un bali buwch oedd yn y cae i gyd, ac ro'n i wedi dewis sefyll yn yr union fan roedd hi wedi'i ddewis i ollwng ei llwyth. Roedd fy nillad i'n drybolau, a rhywsut neu'i gilydd fy nhrôns oedd wedi cael y gwaethaf ohoni, nid fy nhrowsus. Ia, dwinna ddim yn dallt sut ddigwyddodd hynny, ond felly oedd hi. Roedd gen i broblem rŵan, doedd, achos roedd gen i joban arall i'w gwneud yn y Bala – yn un o'r ysgolion cynradd efo Mr Urdd! Thâl hi ddim i ffotograffydd *Yr Herald* fynd i nunlle, yn arbennig ysgol, yn drewi o gachu buwch! Roedd yn rhaid mynd i chwilio am ddillad yn y Bala felly, ac mi brynais becyn o dronsiau newydd a newid yn nhoiled Caffi'r Cyfnod. Ond nid dyna'i diwedd hi. Ro'n i'n gwneud fideo ar gyfer gwefan y *Daily Post* o'r plant efo Mr Urdd, ac mi sefais ar ben y bwrdd er mwyn arwain pawb i ganu 'Hei Mr Urdd yn dy goch gwyn a gwyrdd...' Wrth i mi geisio ennyn mwy o ymateb gan y plant, a'u hannog i roi mwy o wmff yn y canu, mi glywais y trôns rhad ro'n i wedi'i brynu awr ynghynt yn rhwygo ar ei hyd! Mae'n rhaid fy mod wedi prynu rhai rhy fach, ac mi es i'n syth adra o fanno hefyd! Erbyn hyn dwi'n dechrau poeni pan fydd gen i job sydd naill ai'n ymwneud â'r Urdd neu'n ymwneud â gwartheg ... ac os ydi hi'n ymwneud â'r ddau, dwi'n aros adra!

Mae Ysgol Glanaethwy wedi gwneud gwaith anhygoel dros y blynyddoedd – yn ennill gwobrau lu, yn cynnwys dod yn drydydd yn *Britain's Got Talent* 2015. Mae rhai o ddisgyblion yr ysgol, hefyd, wedi mynd ymlaen i bethau mawr fel unigolion, ac mae Owain Arthur, y bachgen o Rhiwlas sydd wedi ennill clod mawr yn y West End fel canwr ac actor, yn enghraifft dda. Mi welais i Owain yn y Bar Bach yng Nghaernarfon ar y noson anhygoel honno pan gurodd Cymru Wlad Belg yng nghystadleuaeth Ewro 2016. Atgoffodd Owain fi o ddau beth: y goeden fawr tu allan i Neuadd Pritchard Jones, Bangor, lle dwi wedi tynnu lluniau dwsinau o enillwyr Eisteddfod Sir yr Urdd dros y blynyddoedd (yn cynnwys Owain ei hun), ac yn ail, y gymwynas wnaeth o â fi un flwyddyn. Yn y 1990au, cyn yr oes ddigidol, pan o'n ni'n tynnu lluniau lliw ro'n i'n aml yn cael datblygu fy ffilm mewn siopau lleol. Un flwyddyn ro'n i wedi tynnu tua phum ffilm mewn steddfod Sir, ond fedrwn i ddim gadael y steddfod am fod gen i ormod o luniau eraill i'w tynnu. Pan glywodd Owain am fy mhicil, mi gynigiodd fynd â'r ffilmiau i lawr i'r siop ym Mangor i mi, chwarae teg. Mae o'n hogyn amryddawn, yn canu ac actio, a bu'n aelod o gast y gyfres *Rownd a Rownd* am gyfnod, cyn symud i Lundain. Yn 2012, cafodd adolygiadau gwych yn y wasg am ei berfformiad yn y sioe un-dyn *One Man Two Guvnors,* sioe a wnaed yn enwog gan ei ragflaenydd yn y rôl, James Corden.

Un arall y byddwn yn ei weld ym mhob eisteddfod yn y 1980au oedd Huw Edward Jones o Borthaethwy, a doedd y gân a recordiodd o ar y pryd – 'Mynd o Steddfod i Steddfod' – ddim mor bell â hynny o'r gwir. Roedd o'n ennill ar adrodd a chanu ym mhob man roedd o'n mynd, fwy neu lai, ac roedd o'n mynd i bob man! Yn Eisteddfod Genedlaethol Abertawe 1982 mi ddaeth ar y llwyfan fel rhan o'r seremoni i wahodd yr Eisteddfod i Fôn y flwyddyn ganlynol. Wnaeth o ddim agor ei geg am rai eiliadau ac roedd pawb yn meddwl ei fod o wedi anghofio'i leins, ond yn sydyn dyma fo'n pwyntio at y gynulleidfa a deud; 'Ydi'r rhain i gyd yn dod i Sir Fôn flwyddyn nesa?'

'Ydyn,' atebodd pawb.

'Wel, diolch byth bod gynnon ni ddwy bont rŵan 'ta!' medda fo. Wn i ddim faint oedd ei oed o ar y pryd, ond doedd o'n ddim o beth. Athro ysgol gynradd yn ochrau Bethesda ydi Huw erbyn heddiw.

Roedd Aeron Gwyn Jones, y bariton o Gaergeiliog, yn ganwr addawol dros ben. Enillodd y Rhuban Glas yn Eisteddfod Genedlaethol Eryri 2005, ond gwta dair blynedd wedyn bu farw Aeron ar ôl brwydr fer efo canser. Roedd o'n un o'r hogia mwyaf boneddigaidd a hynaws dwi wedi dod ar eu traws erioed. Colled fawr i Gymru oll.

Un arall y mae Cymru wedi gweld ei golli ydi'r diweddar, annwyl, Gari Williams. Ro'n i'n gweld Gari yn reit aml ar ôl i Stiwdio Barcud agor yng Nghaernarfon, lle roeddan nhw'n recordio lot fawr o sioeau a rhaglenni i

S4C, ac roedd o bob amser 'run fath, yn hawdd iawn gwneud efo fo. Mi wnaeth Gari ein gadael ni'n ifanc iawn (44 mlwydd oed oedd o) yn 1990, ac fel mae rhai yn cofio lle roeddan nhw pan fu Elvis neu John F. Kennedy farw, dwi'n cofio'n union lle ro'n i pan glywais i'r newyddion trist am Gari. Roedd yr *Herald* yn cymryd rhan mewn arbrawf ar S4C, sef *S4Bro*: wythnos o raglenni ysgafn o wahanol ardaloedd, yn cynnwys pob math o elfennau ac eitemau, o adloniant i newyddion. Papurau lleol oedd yn cyflenwi'r newyddion, a Phapurau'r *Herald* gafodd y cyfrifoldeb hwnnw yn ardaloedd Gwynedd, Môn, a Chonwy. Un o'r gohebwyr oedd yn darllen y newyddion hefyd, ac roedd gofyn inni gael tipyn o stwff at ei gilydd, yn cynnwys lluniau (ond nid fideos). Mi oedd 'na gyflwynydd gwahanol o bob ardal hefyd, a Gari oedd y dyn yn Nyffryn Conwy. Dydd Iau oedd hi, sef y diwrnod cyn y rhaglen, ac mi o'n i allan yn gweithio yn Llanrwst ar y pryd. Eistedd yn y car yn fanno o'n i pan glywais y newyddion ar y radio bod Gari wedi marw. Ro'n i'n gegrwth, fel pawb arall. Doedd 'na ddim llawer ers i mi siarad efo fo, a thynnu ei lun. Roedd marwolaeth Gari'n golled fawr i Gymru, yn fy marn i. Trefor Selway gamodd i'r adwy i wneud y gwaith cyflwyno ar y rhaglen y diwrnod wedyn.

Mae 'na sêr pêl-droed wedi dod o ardal yr *Herald* dros y degawdau yn ogystal â pherfformwyr, ac mae'n siŵr mai Malcolm Allen ydi'r mwyaf ohonyn nhw, yn fy nghyfnod i, o leiaf. Mae Malcolm wedi dod yn dipyn o ffigwr cwlt efo ffans pêl-droed Cymru erbyn hyn o ganlyniad i'w ddisgrifiadau lliwgar a'i angerdd am y gêm a thros ei wlad. Ro'n i wedi tynnu ei lun dwn i'm faint o weithiau wrth iddo fo dyfu i fyny ac ennill capiau yn nhimau'r gwahanol oedrannau, a dwi'n cofio mynd i'w gartref yn Neiniolen i dynnu llun Malcolm a'i rieni pan enillodd ei gap llawn cyntaf dros Gymru. Roedd Wayne Phillips o Gaernarfon yn un arall wnaeth dipyn o enw iddo'i hun yn y byd pêl-droed efo Wrecsam. Mae yntau i'w glywed yn rhoi ei farn ar gemau ar radio Cymru ac S4C o dro i dro erbyn heddiw. Dwi'n nabod teulu Wayne yn iawn – roedd ei frawd, David, yn yr ysgol efo fi – a dwi'n cofio mynd i'w dŷ i dynnu ei lun pan ddechreuodd ei yrfa broffesiynol efo Wrecsam. Mi ges i fynd i Wrecsam un tro hefyd, pan oedd Brian Flynn yn rheolwr, a Paul Roberts, bachgen o Gricieth, yn un o'r tîm cyntaf.

Yn y 1990au cynnar mi ddaeth enw tref Pwllheli yn adnabyddus drwy'r byd diolch i anturiaethau'r morwr, Richard Tudor. Mi gymerodd ran mewn ras hwylio rownd y byd dair gwaith, gan ennill clod a pharch pawb. Roedd disgyblion a staff Ysgol Cymerau, Pwllheli, yn dilyn ei deithiau – ac roeddan ninnau fel papur yn ei ddilyn o hefyd, wrth gwrs. Dwi'n cofio'r ysgol yn gwneud baneri mawr i fynd ar draws y Maes ym Mhwllheli i groesawu Richard yn ôl o un o'i fordeithiau. Fel mae'n digwydd, mi gafodd Richard ei urddo i'r Orsedd ar yr un diwrnod â mi yn 2005.

Mae'r talent sydd ganddon ni yn yr ardal yma yn ddihysbydd, ac mae'r sêr yn dal i ymddangos. Dwy arall y bûm yn tynnu eu lluniau mewn eisteddfodau am flynyddoedd ydi'r gantores o Gaernarfon, Meinir Wyn Roberts, a'r delynores o Borthmadog, Elen Hydref, ac mae'r ddwy bellach wedi llwyddo i gyrraedd llwyfannau rhyngwladol. Ar un adeg doedd 'na ddim wythnos yn mynd heibio, bron â bod, pan nad oedd llun Gwenan Gibbard – y ferch annwyl o Bwllheli – yn y papur. Mae Gwenan hefyd wedi gwneud enw iddi ei hun yn rhyngwladol fel cantores werin a thelynores o fri.

Dwi wedi dilyn gyrfa Steffan Lloyd Owen o Fôn hefyd, ac mi o'n i wrth fy modd ei weld o'n ennill Gwobr Goffa Osborne Roberts yn yr Eisteddfod eleni.

Mae'n bleser gweld y bobol ifanc 'ma'n llwyddo, ac mae'r sefyllfa yn atgoffa rhywun o'r *conveyor belt* yn ffatri chwedlonol Max Boyce, lle roeddan nhw'n cynhyrchu maswyr i dîm rygbi Cymru. Mae llawer o'r diolch am hynny i'r eisteddfodau bach, Eisteddfod yr Urdd a'r Eisteddfod Genedlaethol. Mae'n brawf o werth y gylchdaith eisteddfodau fel meithrinfa, a hir oes iddyn nhw i gyd.

Ymddeoliad Dyfed Evans yn Gynrychiolydd Swyddfa'r Wasg yr Eisteddfod, efo Margaret a Tegwyn Roberts

Bryn Terfel

Arwyn, lle ar y ddaear mae'r amser wedi hedfan, tybed? Llongyfarchiadau ar yrfa gampus sydd wedi cyrraedd pedwar deg o flynyddoedd. Wrth hel atgofion does dim dwywaith mai drwy ysgol arbennig Pendalar y gwnes i dy gyfarfod gyntaf. Drwy swydd fy mam, Nesta Jones, yn yr ysgol, ro'n inna, yn fachgen ifanc yn Ysgol Dyffryn Nantlle, yn mynd draw i'r cyngherddau Nadolig neu i ymarferion yr ysgol ar gyfer cystadlaethau – a phwy fyddai yno yn y cefndir gyda'i gamera a'i lu o lensys, ond y pwtyn bach 'ma yn cario bagiau di-ri, wastad yn gwenu, wastad yn groesawgar ac yno, heb os nac oni bai, yn rhinwedd ei swydd i gefnogi'r achos gyda balchder.

Pwy fyddai wedi meddwl y byddai sawl cyfle wedyn i ni gyfarfod ar ein taith drwy fywyd? Tynnaist sawl llun ohona i yn ystod fy nghyfnod Ysgol Dyffryn Nantlle, mewn eisteddfodau lleol, Eisteddfod yr Urdd a'r Genedlaethol. Pwy allai anghofio'r nosweithiau anhygoel a gafwyd yn fy ngŵyl yn y Faenol – ac roedd dy luniau arbennig di yn elfen hollbwysig i werthiant y tocynnau cyn yr Ŵyl, ond hefyd yn atgof perffaith yn y papur newydd o'r hyn a gyflawnwyd ar gae ger y Fenai. Wn i ddim sawl gwaith y gwelais i chdi o gefn y llwyfan, a'r bagiau a'r lensys yn dal o dy gwmpas.

Rhaid i mi sôn hefyd am adegau fel lansiadau cryno-ddisgiau er budd elusennau lleol. Bu *Hafan Gobaith* ac

Anfonaf Angel yn llwyddiant oherwydd dy ddawn di i ddal y llun perffaith 'na yn y cwta amser oedd gen ti i wneud hynny. Mae hyrwyddo yn elfen bwysig iawn i bopeth y dyddiau yma, a diolch i ti a dy waith proffesiynol i'r *Herald* mae modd llwyddo weithiau i hybu pethau sydd yn agos iawn at galon rhywun.

Does dim dwywaith fod y lensys a'r camerâu wedi newid tipyn go lew dros y 40 mlynedd, Arwyn – ond rwyt ti'n dal yn union 'run fath. Edrychaf ymlaen at weld dy waith yn parhau am flynyddoedd i ddod.

Llongyfarchiadau lu.

15

Y da, y drwg a straeon eraill

Mae 'na gwyno'n aml fod 'na ormod o newyddion drwg yn y papurau, ac mae elfen o wirionedd yn hynny, dwi'n siŵr. Ond er nad ydw i'n honni i mi wneud astudiaeth wyddonol o'r peth, dwi'n amau'n gryf bod newyddion drwg yn gwerthu mwy o bapurau na newyddion da. Cymerwch chi achos o lofruddiaeth, er enghraifft. Mae trosedd fawr fel hon yn cael effaith anferthol ar y gymuned dan sylw, ac mae pawb yn awchu i glywed y manylion diweddaraf.

Mae gen i berthynas dda efo'r heddlu, ac mae hynny'n rhywbeth sydd wedi datblygu dros y blynyddoedd. Hynny ydi, dydi o ddim wedi digwydd dros nos – mae'n cymryd blynyddoedd i feithrin perthynas dda, o'r ddwy ochr. Dwi'n nabod llawer iawn o heddlu'r ardal erbyn hyn, ac maen nhw'n fy nabod innau, sy'n help pan dwi'n cyrraedd rhyw ddigwyddiad mawr, megis damwain car ddifrifol neu lofruddiaeth.

Rydan ni'n lwcus yng ngogledd-orllewin Cymru fod llofruddiaethau'n bethau digon anghyffredin, diolch byth; ond maen nhw'n digwydd o bryd i'w gilydd, ac mae ambell un wedi aros yn y cof. Mae'r tri achos dilynol yn rhai a gafodd gryn effaith ar y cymunedau lle y digwyddon nhw.

Ar fy ffordd i Lanberis i weld rhywun yr oeddwn i un noson ym mis Hydref 1982, ond roedd yr heddlu wedi cau'r lôn wrth ymyl stad ddiwydiannol Cibyn yng Nghaernarfon. Dyma'r heddwas yn holi i ble ro'n i'n mynd, ac atebais innau 'Llanberis'.

'O, does 'na neb yn cael mynd i Lanberis,' medda fo.

'Pam?' gofynnais, ond wnaeth o ddim ateb y cwestiwn, dim ond ailadrodd ei frawddeg agoriadol.

'Sori,' medda fi, 'ond dwi'n mynd i Lanbêr, a fedrwch chi ddim fy stopio fi yn fama – yng Nghaernarfon!' Dwn i ddim pam roeddan nhw wedi penderfynu cau'r lôn yn fanno o bob man, ond ta waeth, mi ges i fynd yn fy mlaen i'r pentref, ac roedd hi'n amlwg fod rwbath mawr wedi digwydd. Roedd 'na heddlu ymhobman. Fel y trodd hi allan, y digwyddiad hwnnw oedd un o'r llofruddiaethau mwyaf erchyll welodd yr ardal yma erioed, ac am mai ficer y plwyf, y Canon Alun Jones, oedd wedi cael ei ladd, mi gymerodd y papurau cenedlaethol ddiddordeb yn yr achos yn syth. Drannoeth roedd llun Alun Jones ar dudalen flaen nifer o'r papurau dyddiol. Mi wnes i adnabod y llun yn syth – fi oedd wedi'i dynnu o pan gafodd Alun ei wneud yn gaplan i faer Cyngor Arfon, Francis Jones, Llanberis. Ro'n i'n methu â deall sut roeddan nhw wedi cael gafael arno fo, ond mi ddaeth hynny'n eglur yn fuan iawn. Roedd y maer wedi archebu copïau o'r llun gen i, ac roedd o wedi rhoi copi i'r gohebydd, ac roedd hwnnw wedi ei rannu efo pawb arall.

Mi ddaeth y stori yma yn ôl i 'nghof i mewn ffordd ddramatig iawn yn ddiweddar. Daeth yn amlwg fod y llofrudd – Richard Dennick – yn cael ei gadw yn Uned Ddiogel Bryn y Neuadd, Llanfairfechan. Doedd neb o'r gymuned leol yn gwybod ei fod o yn y ddalfa mor agos at lle y cyflawnodd ei lofruddiaeth erchyll, a fasa neb yn gwybod hyd heddiw, am wn i, oni bai i Dennick ddianc o'r uned ym mis Medi 2015. Ond hyd yn oed pan gyhoeddwyd enw'r carcharor oedd ar ffo, wnaeth neb ei gysylltu â'r llofruddiaeth yn Llanbêr yn syth, am y rheswm mai 'Richard Bracken' oedd yr enw a gyhoeddwyd fel enw'r carcharor. Nid camgymeriad oedd hynny – dyna mae Dennick yn ei alw ei hun erbyn heddiw – ond pan sylweddolwyd pwy oedd o, mynegwyd pryder mawr yn lleol nad oedd neb yn ymwybodol fod y llofrudd ym Mryn y Neuadd.

Boi o Lundain oedd Dennick, llanc 16 oed oedd o pan laddodd o Alun Jones. Roedd o wedi symud i Lanberis i fyw efo'i ewythr a'i fodryb, ac roedd o'n mynd i Ysgol Brynrefail. Aeth o a bachgen arall, Barry Boyle, i'r Ficerdy efo'r bwriad o ddwyn arian er mwyn rhedeg i ffwrdd i Lundain. Tarodd Boyle y ficer, ond parhaodd Dennick â'r ymosodiad ar ôl i'w gyfaill redeg i ffwrdd, gan drywanu Alun Jones i farwolaeth. Roedd y gymuned mewn sioc fod y fath beth wedi digwydd mewn lle mor dawel â Llanbêr.

Mae'n debyg mai'r llofruddiaeth fwyaf dychrynllyd dwi'n ei chofio ydi achos Mabel Leyshon yn Llanfairpwll. Mi oedd sylw'r wasg genedlaethol yno hefyd, oherwydd amgylchiadau erchyll y llofruddiaeth. Mi ges i alwad ffôn ar 25 Tachwedd 2001 yn deud bod 'na rwbath mawr yn digwydd yn Llanfairpwll. Doedd y galwr ddim yn gwybod be, ond yn ei eiriau o, 'mae 'na fwy o heddlu na phobol leol yno.' Bore Sul oedd hi, ac ro'n i wedi bod allan yn hwyr y noson cynt am beint neu dri, ac felly fedrwn i ddim mynd yno fy hun. Mi ffoniais Hywel Hughes, ffotograffydd yr *Herald* ar Ynys Môn, deud wrtho be o'n i wedi'i glywed, a gofyn iddo fynd yno ar fy rhan, gan egluro y byddwn yn ymuno â fo yn y pnawn. A dyna fu. Mi ddaeth hi'n amlwg i bawb fod rhywun wedi'i ladd, ac ymhen ychydig ddyddiau dechreuodd sibrydion am natur y llofruddiaeth honno. Roedd y llofrudd – hogyn 17 oed o'r enw Matthew Hardman a oedd yn byw gerllaw Mrs Leyshon – wedi trywanu'r wraig 90 oed nifer o weithiau, ac wedi tynnu ei chalon o'i chorff a'i rhoi mewn sosban. Roedd tystiolaeth hefyd ei fod wedi yfed gwaed o'r sosban, a'r enw a roddwyd arno gan y wasg oedd 'The Vampire Killer'. Roedd o hefyd wedi gosod dau brocer mewn siâp croes wrth ei thraed, ynghyd â dau ganhwyllbren wrth ymyl ei chorff.

Dim ond straeon oedd y rhain i ddechrau, ond ymhen sbel, cyn iddyn nhw ddal y llofrudd, galwodd yr heddlu gynhadledd i'r wasg yng ngorsaf Maesincla, Caernarfon. Yno, cadarnhawyd rhai o ffeithiau'r achos. Mi aeth 'na ias drwydda i wrth glywed, yn swyddogol, fod y straeon oedd wedi bod yn mynd o gwmpas y gymuned yn wir. Roedd y pethau erchyll 'ma wedi digwydd go iawn, a dwi'n dal i deimlo ias i lawr fy nghefn hyd heddiw wrth feddwl am y peth.

Y trydydd achos dwi am gyfeirio ato ydi llofruddiaeth Ffion Wyn Roberts, merch 22 oed ym Mhorthmadog yn Ebrill 2010.

Cafodd Ffion ei churo a'i chrogi a'i gadael i foddi mewn ffos tu ôl i'w chartref. Mi oedd o'n ymchwiliad anferth, a barodd am wyth wythnos. Yn ystod yr amser hwnnw holwyd dros 4,000 o drigolion yr ardal, felly gallwch ddychmygu'r effaith ar y gymuned – heb sôn am ei theulu – cyn i'r heddlu arestio gŵr lleol o'r enw Iestyn Davies.

Diolch i'r nefoedd nad ydi llofruddiaethau ddim yn digwydd yn aml yma, oherwydd does gen i ddim amheuaeth fod effaith troseddau o'r fath yn gallu ysgwyd cymdeithas i'w seiliau.

Dros y blynyddoedd, dwi wedi dilyn trywydd gormod o straeon i'w cofio nhw i gyd – ond mae ambell un wedi aros yn y cof, am amryw resymau. Dyma gasgliad o rai o'r rheiny.

Enillion mawr

Dwi wedi gweld sawl un yn cael tipyn o lwc efo Spot the Ball, y Pŵls neu'r Loteri yn fy amser. Un sy'n dod i'r cof yn syth ydi'r annwyl Michael Williams. Un o Sir Fôn oedd Michael yn wreiddiol, ond ym Mhencaenewydd yr oedd o'n byw pan enillodd swm mawr ar y Loteri. Wnaeth o ddim ennill miliynau, ond roedd o'n hael iawn a ffeind efo'i enillion. Mi rannodd lawer efo achosion da yn y cylch, ac mi dynnais ei lun i'r papur ar sawl achlysur. Roedd hi bob amser yn bleser mynd i weld Michael am ei fod o'n ddyn mor rhadlon a hawdd gwneud efo fo, yn wahanol iawn i'r dyn o ardal Blaenau Ffestiniog a enillodd ffortiwn ar y pŵls rhyw dro. Doedd o'n bendant ddim yn foi rhadlon a hawdd gwneud efo fo! Os dwi'n cofio'n iawn roedd o wedi anghofio rhoi croes yn y bocs i ddynodi nad oedd o isio cyhoeddusrwydd pe bai o'n ennill. Ac wrth gwrs, pan ddaeth ei rifau i fyny ar y pŵls rywdro yn y saithdegau, roedd y papurau newydd yn heidio yno isio'r stori. Mynd yno efo'r diweddar annwyl Ernest Jones wnes i – gohebydd lleol dros ardal y Blaenau am flynyddoedd lawer. Y drwg oedd, roedd papurau dyddiol Lloegr i gyd wedi bod yn nhŷ'r boi 'ma erbyn i Ernest a finnau gyrraedd, a doedd o ddim yn ddyn hapus. Mi aeth yn wallgo, ac mi wthiodd fi nes i mi ddisgyn ar fy hyd ar lawr. Be wnaeth Ernest meddech chi? Neidio i f'amddiffyn i? Rhoi llond ceg i'r boi am fod mor ddigywilydd? Naci. Rhedeg o'na a ngadael i, dyna be! Ond wela i ddim bai arno fo, chwarae teg. Mi oedd y boi wedi colli'i limpyn yn llwyr! Mi lwyddais i achub y camera rhag niwed, ond roedd gen i gleisiau mewn llefydd dirgel iawn ar ôl y digwyddiad hwnnw. Yn ôl rhai, roedd y boi ar y dôl, ac nid ofni'r cyhoeddusrwydd a'r sylw oedd o, ond ofni colli ei fudd-daliadau! Dyna'r stori beth bynnag, p'un ai ydi hi'n wir ai peidio, fedra i ddim deud.

Trochfa Gŵyl San Steffan

Ers rhai blynyddoedd, mae'n arferiad gan rai o drigolion pen draw Llŷn i fynd i ymdrochi yn y môr yn Aberdaron ar Ŵyl San Steffan. Fydda i ddim yn mentro, diolch yn fawr, ond mi ges i drochfa annisgwyl pan es i yno i dynnu lluniau y tro cyntaf iddyn nhw gynnal y digwyddiad. Mae'r cwmni'n rhoi car i mi efo fy swydd, a fan Peugeot fach oedd gen i ar y pryd. Oherwydd fy mod i'n cario gwerth arian o gamerâu ac offer, ro'n i newydd berswadio'r cwmni fod angen gosod larwm ynddi hi. Ro'n i wrthi'n tynnu lluniau'r criw dewr oedd yn mentro i'r tonnau yng nghanol mis Rhagfyr oer, ac wedi mynd yn reit agos at y dŵr er mwyn cael lluniau go lew. Ond mi ddechreuodd y llanw droi, ac roedd yn rhaid i mi fagio'n ôl a bagio'n ôl i osgoi cael traed gwlyb. Y drwg oedd, wnes i ddim sylwi ar y garreg fawr oedd yn hanner cuddio yn y tywod y tu ôl i mi, ac mi faglais drosti a disgyn ar fy hyd ar lawr. Wrth gwrs, mi ddaeth ton fawr a golchi drostaf nes o'n i'n socian at fy nghroen. Roedd pawb yn chwerthin, yn cynnwys fi fy hun, ac unwaith eto, mi lwyddais i achub y camera rhag y dŵr. Ond doedd yr un peth ddim yn wir am y teclyn bach oedd yn diffodd larwm y fan! Roedd hwnnw'n sownd yng ngoriad y car gin i, ac mi oedd dŵr wedi mynd i mewn iddo fo. Drwy lwc mi oedd gen i oriad arall yn fy mag, ond y drwg oedd bod hwnnw yng nghist y car, felly doedd dim amdani ond agor y drws gan wybod y byddai'r larwm yn atseinio dros bob man. A dyna ddigwyddodd. Ta waeth, mi lwyddais i'w ddiffodd o efo'r ail declyn oedd yn y bŵt felly doedd o ddim mor ddrwg â hynny, ond roedd fy nillad gwlyb yn llawer mwy o boendod i mi, yn enwedig gan fy mod yn wynebu tua awr o siwrnai adref. Mi benderfynais stopio ar yr allt ar y ffordd allan o Aberdaron er mwyn tynnu fy nhrowsus, fy nghôt a'm siwmper. Gan droi'r gwres ymlaen ffẁl blast, mi yrrais yn fy mlaen yn gwisgo dim byd ond crys T a phâr o drôns – ond fel ro'n i'n cyrraedd ochrau Botwnnog be ddaeth tu ôl i mi ond car plisman! O diar. Dechreuodd y golau glas droi, ac roedd yn rhaid i mi dynnu i mewn a stopio yn fanno. Mae'n debyg iawn bod y plisman yn meddwl ei fod o wedi dal rhywun oedd wedi bod ar y lysh, ond mi gafodd o dipyn mwy o sioc pan welodd o fi. Mi chwarddodd fel dwn i ddim be pan glywodd o'r hanes, a dwi'n meddwl ei fod o wedi anghofio pam ei fod wedi fy stopio fi, achos ches i na rhybudd na dim ganddo fo.

Ysbryd Marchlyn

Un o ffilmiau mwya'r wythdegau oedd *Ghostbusters*. Dwi'n cofio gweld y ffilm pan o'n i'n hedfan o Hawaii ar ôl bod ar wyliau yno. Ond chydig a wyddwn i y byddai *ghostbusters* yn chwarae rhan mewn stori – un o'r straeon rhyfeddaf i mi weithio arni erioed am wn i – a hynny yng nghyffiniau Deiniolen o bob man. *Ghostbusters* yn Neiniolen?

Mae'r manylion yn weddol niwlog erbyn hyn, ond yn fras roedd rhywun wedi cysylltu efo'r golygydd ar y pryd, Ted Thonger, yn cynnig stori i'r papur. Roedd 'na sôn am ysbryd yn ochrau Deiniolen, ac roedd rhyw griw o bobol ddŵad am gael rhyw fath o *ghostbusters* i mewn er mwyn cael gwared arno fo. Roedd Ted wedi llyncu'r stori go iawn ac yn daer isio i ni fynd i weld be oedd yn mynd ymlaen.

Mae 'na chwedl yn ardal Deiniolen bod ysbryd milwr o'r Rhyfel Byd Cyntaf ar gefn ceffyl wedi cael ei weld ger Llyn Marchlyn, a dwi'n meddwl mai dyma oedd sail yr hyn oedd gan y bobol 'ma dan sylw. Dwi ddim yn credu mewn pethau o'r fath, ond ta waeth, mi gyrhaeddais y tŷ ym mhentref Clwt-y-bont ger Deiniolen, ar y noson benodedig. Mewnfudwyr di-Gymraeg oeddan nhw, efo rhyw ddylanwadau hipïaidd yn perthyn iddyn nhw, ddeudwn ni felly. Ar ôl cyrraedd, ro'n i'n disgwyl gweld y *ghostbusters* mewn siwtiau arian, ond doedd 'na ddim golwg ohonyn nhw – a doedd neb yn deud rhyw lawer amdanyn nhw er 'mod i'n holi lle oeddan nhw.

'O, maen nhw'n ymuno efo ni yn nes ymlaen,' oedd yr unig ateb ges i.

Roedd 'na tua 20 o bobol yn y tŷ erbyn hyn, ac ymhen hir a hwyr dyma ni'n cychwyn am Marchlyn, mewn tri neu bedwar o geir. Fel ro'n i'n dod allan o'r tŷ, pwy welais i ond cyfaill i mi oedd yn blisman.

'Be ti'n neud efo'r rhain?' holodd.

A dyma fi'n egluro wrtho fo.

'Pobol ryfadd ydyn nhw,' medda fo, ac mae'n rhaid i mi ddeud, wnes i ddim anghytuno!

Ar ôl mynd â'r ceir cyn belled ag yr oedd posib mynd â nhw, dyma'r rhan fwyaf o'r criw yn cychwyn ar droed am Marchlyn. Merch o'r enw Ann Davies oedd y gohebydd oedd efo fi, os ydw i'n cofio'n iawn, ac wrth i'r ddau ohonan ni gydgerdded efo dau ddyn a dynes oedd yn rhan o'r criw, roeddan ni'n cael y teimlad eu bod nhw'n trio ein dal ni'n ôl am ryw reswm. Roeddan nhw'n stopio bob hyn a hyn, ac yn tynnu sgwrs am bob math o bethau. Un peth dwi'n ei gofio'n glir ydi fod 'na leuad lawn y noson honno, felly roedd popeth i'w weld yn hollol glir.

Yn sydyn, daeth car heddlu i fyny'r lôn, a phan roddwyd y golau glas ymlaen diflannodd y bobol oedd efo ni. Yn rhyfeddach fyth, rhedodd llwyth o bobol hanner-noeth (a rhai'n noeth lymun groen) allan o'r adfail sydd wrth ymyl Marchlyn! Ro'n i'n sbio'n gegrwth arnyn nhw, heb wybod be goblyn i'w wneud nesa. Beth bynnag, mi aeth pawb oddi yno fesul dipyn, a chlywson ni ddim mwy am y peth. Ond ychydig ddyddiau wedyn daeth tro mwy sinistr i'r stori. Roedd rhywun wedi dod ar draws sloganau paganaidd wedi cael eu peintio ar waliau hen gapel ger Clwt-y-bont, ac roedd gwaed i'w weld lle roedd iâr wedi cael ei lladd ar stepen y drws. Dwi'n amau bod 'na gysylltiad rhwng y ddwy stori, ond welson ni erioed mo'r *Ghostbusters*! Ia, stori ryfedd ar y naw oedd honno!

Stori iasoer

Mae 'na un stori sy'n dal i yrru ias i lawr fy nghefn pan dwi'n meddwl amdani. Roedd Mary Garner, ein gohebydd ym Mhorthmadog am flynyddoedd, wedi gofyn i mi fynd i Flaenau Ffestiniog i dynnu llun rhyw bnawn dydd Gwener – llun o ryw foi oedd wedi prynu'r pictiwrs lleol. Roedd ganddo gynlluniau ar gyfer creu canolfan adloniant neu rwbath felly yno.

Mi oedd y boi 'ma'n dod o Gaergybi i gael tynnu ei lun yn y Blaenau, ac roedd y cwbwl wedi cael ei drefnu ar gyfer pedwar o'r gloch y pnawn hwnnw. Ro'n i yno mewn da bryd, ond erbyn tua 4.40 doedd 'na ddim golwg o'r boi, felly dyma fi'n ffonio Mary i ddeud nad oedd y boi wedi troi i fyny a 'mod i'n mynd adra. Ar y Cob ym Mhorthmadog mi ges i alwad ffôn gan Mary yn cadarnhau fod y boi wedi cyrraedd Blaenau, a gofyn a fyswn i'n mynd yn ôl i dynnu ei lun.

'Sori,' medda fi, 'dwi wedi bod yno ers 4 o'r gloch, a dwi yn Port rŵan. Mae'n ddrwg gin i, ond dwi'n mynd adra. Mi fydd yn rhaid ail-drefnu'r llun.' A dyna fu.

Dim ond wedyn y gwnes i ddeall pwy oedd o. Peter Moore – y boi wnaeth lofruddio pedwar o ddynion mewn gwahanol rannau o ogledd Cymru. Wyddai neb ei hanes ar y pryd, wrth gwrs. Tua blwyddyn wedyn y cafodd ei ddal a'i garcharu am oes. Mae meddwl am ei gyfarfod o mewn pictiwrs gwag, ar noson dywyll, yn codi croen gŵydd arna i hyd heddiw.

***

Mae 'na ddegau o sioeau bach yn cael eu cynnal o gwmpas yr ardal bob haf, ac maen nhw'n esiampl dda o'r hyn dwi'n ei gredu ynglŷn â phapurau'n adlewyrchu'r drwg a'r da yn ein cymdeithas. Mae 'na gannoedd o bobol yn rhoi eu hamser yn rhad ac am ddim i sicrhau llwyddiant eu sioe neu garnifal lleol, a chwarae teg iddyn nhw, dydyn nhw ddim yn cael y clod maen nhw'n ei haeddu yn aml iawn. Mae digwyddiadau fel hyn yn dod â'r gymuned at ei gilydd, a dwi wrth fy modd yn mynd iddyn nhw. Mae'r carnifals wedi dechrau dod yn ôl yn ara deg, ond ers talwm roedd 'na un ym mhob pentref, bron iawn; yn sicr ym mhob tref.

Dwi'n cofio rhai sioeau nad ydyn nhw bellach yn bodoli hefyd, fel Sioe Pwllheli a Sioe Eifionydd; ac mae Sioe Caernarfon, neu Sioe Gogledd Cymru i roi ei theitl cywir iddi, wedi newid safle ac wedi mynd i lawr o ddau ddiwrnod i un bellach. Roedd hi'n arfer cael ei chynnal ar safle wrth ymyl hen ffatri Ferodo, ond erbyn hyn mae ei chartref ar Lôn Bethel ychydig tu allan i'r dref.

Sioe gynta'r tymor ydi Sioe Nefyn ym mis Mai, ac mae hi'n dal i fynd ac yn boblogaidd iawn. Mae'n gyfle da i arddangoswyr baratoi ar gyfer y Sioe Fawr yn Llanelwedd, neu sioeau eraill yn ddiweddarach yn y tymor.

Mi ges i brofiad dychrynllyd yn Sioe Nefyn un flwyddyn. Dydw i ddim yn foi ceffylau ar y gorau – fues i erioed yn gyfforddus yn eu cwmni, a wnaeth y digwyddiad, yn sicr, ddim i leddfu fy ofnau. Ro'n i'n agos iawn at gael fy lladd, a deud y gwir. Wrthi'n tynnu llun stalwyn o'r Hendre, Caernarfon, o'n i; ffarm sy'n enwog am fagu ceffylau. Roedd y stalwyn yn cael ei dywys yn y prif gylch, ond roedd o'n aflonydd drybeilig tra o'n i'n trio tynnu ei lun. Yn sydyn reit, dyma fo'n troi ac anelu cic at fy mhen efo'i garnau ôl. Mi oedd ei bedolau mor agos at fy wyneb nes iddo wthio fy sbectol i ffwrdd. Mi deimlais y gwellt oedd yn sownd yn y bedol yn cyffwrdd fy wyneb. Roedd o mor agos â hynna. Dwi'n cofio clywed y dorf yn mynd yn ddistaw ac yn cymryd ei gwynt fel un, a sŵn: 'ŵŵŵŵ' isel yn mynd rownd y cae. Mi drïais i fy ngorau i beidio â dangos emosiwn, ond mi ddychrynais i'n ofnadwy, ac mae gen i ofn ceffylau fyth ers hynny. Roedd pobol yn fy stopio fi ar y cae wedyn i drafod y peth, ac mi ddywedodd un mai fi oedd y boi mwyaf lwcus yn y sioe y diwrnod hwnnw.

Ers degawdau, mae 'na dipyn go lew o ffilmiau a chyfresi teledu wedi eu ffilmio yng ngogledd Cymru. Ond o ran mynd allan a chael hwyl wrth weithio, y gyfres sydd wedi rhoi'r mwyaf o bleser i mi ydi *C'mon Midffîld*. Roedd y criw wastad i'w weld yn mwynhau eu hunain, a dwi'n siŵr eu bod nhw, ac roedd o jest yn hwyl i fod yn eu cwmni nhw. Ond dwi ddim wedi cael profiad da ar bob set chwaith.

Mae'n debyg mai'r ffilm fwyaf dwi'n ei chofio'n cael ei ffilmio yn yr ardal ydi *First Knight*, sef hanes y Brenin Arthur efo Sean Connery, Richard Gere a Julia Ormond yn serennu ynddi. Roeddan nhw wedi creu set y castell wrth ochr Llyn Trawsfynydd, ond roedd y golygfeydd yn y stablau ceffylau'n cael eu ffilmio yn Chwarel Dinorwig. Mi oedd hon yn stori fawr ar y pryd, ac roedd y cwmni ffilmio'n gwrthod gadael i ni fynd i dynnu lluniau yno am eu bod nhw'n trio cadw popeth mor gyfrinachol â phosib. Roedd ganddyn nhw ddynion seciwriti o gwmpas y lle ym mhob man i warchod eu preifatrwydd ... ond mae 'na fwy nag un ffordd o gael Wil i'w wely, ac mae tipyn o wybodaeth leol yn handi ar adegau fel hyn. O dop Chwarel Dinorwig roedd posib gweld i lawr i safle'r ffilmio, felly mi gerddais i fyny yno a thynnu lluniau, er ein bod wedi cael rhybudd i beidio. Ond fel ro'n i'n cerdded i lawr dyma rai o'r bois seciwriti yn dod ata i – ac roeddan nhw'n gwbl afiach efo fi, yn mynnu 'mod i'n tynnu'r ffilm o'r camera a'i roi o iddyn nhw. Doedd gen i ddim dewis ond ufuddhau, gan regi dan fy ngwynt. Ond y diwrnod wedyn mi oedd *Yr Herald* yn y siopau, efo llun mawr o'r ffilmio ar y dudalen flaen. Mi aeth y cwmni'n wallgo, a'n bygwth ni efo'r gyfraith, ond fedren nhw wneud dim am y peth gan fy mod i ar lwybr cyhoeddus pan dynnais y lluniau, ac roedd gen i berffaith hawl i wneud hynny. Mi o'n i wedi rhoi ffilm i'r boi seciwriti, ond ffilm wag oedd hi! Wrth gerdded i lawr, ro'n i'n amau y basa'r bois seciwriti yn mynnu cael y ffilm, felly ro'n i wedi tynnu'r ffilm efo'r lluniau arni o'r camera, ac wedi rhoi ffilm wag yn ei lle. A honno gawson nhw gen i! Mi ddangoswyd *First Knight* am y tro cyntaf yn y Coliseum, Porthmadog, ac roedd hwnnw'n achlysur i'w gofio yn y dref. Ro'n i'n meddwl am y noson honno yn ddiweddar, wrth dynnu lluniau yr hen bictiwrs yn cael ei ddymchwel. Biti. Roedd y Coliseum wedi bod yn rhan o dirlun Porthmadog am flynyddoedd.

Ffilm arall gafodd ei gwneud yn chwareli Dinorwig a Glyn Rhonwy ger Llanberis oedd *The Keep*. Mae hon yn dipyn o ffilm gwlt erbyn hyn, meddan nhw i mi, er nad ydw i wedi'i gweld hi fy hun. Rwmania oedd y lleoliad yn y ffilm ac roeddan nhw wedi creu pentref cyfan o fewn y twll chwarel, a'r unig ffordd i fynd i lawr yno oedd efo lifft arbennig roeddan nhw wedi'i adeiladu'n bwrpasol.

Mi wnes i gyfarfod un o sêr mwyaf Hollywood, Syr Anthony Hopkins, gwpwl o weithiau yn rhinwedd fy swydd. Roedd o yma i arwain yr ymgyrch i brynu'r Wyddfa pan benderfynodd perchennog y tir, Richard Williams, werthu 4,000 o aceri yn cynnwys stadau Hafod y Llan a Gelli Iago yn Nant Gwynant. Mi roddodd Syr Anthony £1m o'i boced ei hun at yr achos, ond dim ond ychydig dros 90 diwrnod oedd ar ôl i ddod o hyd i weddill y £3.5m oedd ei angen er mwyn i'r Ymddiriedolaeth Genedlaethol fedru prynu'r tir a'i ddiogelu am byth. Syr Anthony oedd llefarydd y mudiad ac arweinydd yr apêl. Roedd o'n foi neis iawn – dim byd tebyg i rai o'r dynion ofnadwy mae o wedi eu portreadu, megis Hannibal Lecter! Mi wnes i ei gyfarfod o ar lethrau'r Wyddfa un tro, ac ym mhen Llŷn dro arall pan oeddan nhw saethu'r ffilm *August* ym Mhlas Boduan yn 1993. Roedd Rhys Ifans yn rhan o'r ffilm honno hefyd – actor arall dwi wedi dod ar ei draws fwy nag unwaith wrth fy ngwaith. Mae o'n dipyn o gymêr.

Roedd antur fythgofiadwy Cymru yn Ewro 2016 yn

anhygoel, ac er na chefais gyfle i fynd drosodd i Ffrainc, mi ddilynais yr holl gyffro gyda balchder. Ro'n i wrth fy modd yn tynnu lluniau'r dathlu mawr yn nhŷ tafarn Neuadd y Farchnad yng Nghaernarfon, a oedd dan ei sang ar gyfer pob gêm. Ar wahân i'r tîm anhygoel, un o'r pethau oedd yn sefyll allan i mi yn yr Ewros oedd ymgyrch farchnata Undeb Pêl-Droed Cymru, sef Gorau Chwarae Cyd Chwarae / Together Stronger. Roedd hi'n ardderchog yn fy marn i, ac un o'r uchafbwyntiau oedd Rhys Ifans yn adrodd cerdd y Prifardd Llion Jones am y tîm, ac am ystyr Cymreictod. Gwych! Ond y tro cyntaf i mi gyfarfod Rhys oedd yn Nant Gwrtheyrn. Dwi ddim yn cofio'r achlysur, ond y peth cyntaf ofynnodd o i ni oedd, 'sgin rywun smôc i sbario?' Yn ffodus, roedd Oswyn Hughes, y gohebydd oedd efo fi, yn smocio, ac mi aethon ni'n tri o olwg y cyhoedd er mwyn i Rhys ac Oswyn gael mwgyn bach. Wrth sgwrsio efo fo, roedd hi'n amlwg ei fod yn un o'r werin ac yn uffach o foi iawn. Yr ail dro i mi ei gyfarfod oedd yn agoriad Neuadd Nefyn, pan oedd Dion Jones efo fi, ac os dwi'n cofio'n iawn mi oedd o'n chwilio am smôc y diwrnod hwnnw hefyd!

Ia, enwogion ... selebs ... sêr ... galwch chi nhw be fynnoch chi, ond pobol ydyn nhw 'run fath â chi a fi, ac yn amlach na pheidio, os ydach chi'n iawn efo nhw maen nhw'n iawn efo chithau hefyd.

Nid actorion mohonyn nhw, ond eto, maen nhw hoffi cymryd lle canolog ar y llwyfan cenedlaethol – yn enwedig bob mis Awst. Ac mae'n deg deud eu bod nhw'n reit hoff o fymryn o ddrama hefyd. Ydyn, mae'r Archdderwyddon yn dipyn o sêr yma yng Nghymru.

Mi soniais am Gwyndaf yn dod acw i'n tŷ ni ar y Sul ers talwm, ond ar y pryd wnes i ddim dychmygu y baswn i, ryw ddiwrnod, yn dod i adnabod rhai o Archdderwyddon yr

Orsedd yn reit dda, ac yn tynnu lluniau swyddogol ambell un. Mae'n rhaid i mi watsiad be dwi'n ddeud amdanyn nhw rŵan, a finnau'n aelod o'r Orsedd! Na, o ddifri, mae pob un yn gwneud y swydd yn ei ffordd arbennig ei hun, a does gen i ddim ond y parch mwyaf at bob un ohonyn nhw.

Y cyntaf dwi'n ei gofio yn y swydd ydi Geraint Bowen, am mai fo oedd wrth y llyw yng Nghaernarfon yn 1979. Ei olynydd oedd Jâms Nicolas, gŵr o sir Benfro'n wreiddiol, ond roedd o'n byw ym Mangor bryd hynny, ac felly yn nalgylch papurau'r *Herald*. Petai Archdderwydd newydd yn dod o'r tu allan i'n patsh ni fasa 'na ddim pwrpas o gwbl i ni gario stori amdano – roedd gofod yn ddigon prin yn y papurau fel yr oedd hi. Ond wrth gwrs, os oedd o'n dod o'r ardal, yna roedd hi'n stori i ni, ac mae nifer reit dda o Archdderwyddon y deugain mlynedd dwytha wedi dod o ardal yr *Herald*. O 1990 i 1996 mi gawson ni dri o'r ardal: Emrys Roberts (Emrys Deudraeth) o Benrhyndeudraeth, W.R.P. George (Ap Llysor) o Gricieth, a John Gwilym Jones (John Gwilym) o Benrhosgarnedd. Yna o 2002 i 2008 mi gawson ni Robyn Léwis (Robyn Llŷn) a Selwyn Griffith (Selwyn Iolen). Bellach mae Geraint Lloyd Owen o Bontnewydd (Geraint Llifon) wrth y llyw. Dwi'n nabod Geraint yn dda iawn ers blynyddoedd, yn enwedig gan mai fo gymerodd Siop y Pentan drosodd ar ôl Eirug Wyn. Dwi'n edrych ymlaen at ei gyfnod yn y 'barchus arswydus swydd'.

Ond i fynd yn ôl at Selwyn Iolen am funud ... Newidiwyd gwisg draddodiadol yr Archdderwydd yn 2008 a Dic Jones (Dic yr Hendre) oedd y cyntaf i'w gwisgo hi. Ond pan gafodd Dic ei daro'n wael, gofynnwyd i Selwyn Iolen gamu i'r adwy yn Eisteddfod y Bala, 2009. Roedd pawb yn disgwyl mai defnyddio'r wisg newydd fyddai yntau hefyd, ond gwrthod ei gwisgo hi wnaeth o er parch i Dic. Yn anffodus, wrth gwrs, bu farw Dic Jones ychydig ar ôl yr Eisteddfod honno.

Roedd gen i feddwl mawr o Selwyn, ac roeddan ni'n ffrindiau mawr. Bob tro mae 'na Archdderwydd newydd yn cael ei ethol, mae'r Eisteddfod yn trefnu llun swyddogol ohono fo neu hi yn y regalia Archdderwyddol. Mae'r llun yn mynd i'r Llyfrgell Genedlaethol wedyn, i'w gadw. Fi dynnodd lun swyddogol Selwyn, ac roedd o wedi gofyn i mi am gopi ohono. Ond mi aeth wythnosau heibio, a doedd Selwyn byth wedi cael ei lun. Mewn gwirionedd, roedd o wedi dechrau swnian amdano bob tro ro'n i'n ei weld o, nes yn y diwedd mi aeth yn reit flin efo fi.

'Ro'n i'n meddwl ein bod ni'n ffrindiau,' medda fo. 'Ti wedi addo llun i mi, a dwi byth wedi'i gael o, a dwi'n siomedig ofnadwy.' Ond fedrwn i mo'i ateb o, a hynny am reswm da. Ymhen ychydig wythnosau roedd o'n cael ei ben-blwydd yn 80, a dyna oedd ei anrheg i fod gan ei deulu, sef copi mawr o'r llun swyddogol mewn ffrâm aur, smart. Roedd y teulu a finnau wedi trefnu'r peth efo'n gilydd. Roeddan nhw'n cael cinio i ddathlu'r pen-blwydd yng ngwesty'r Fictoria yn Llanberis, ac ro'n i wedi mynd draw yno ac wedi gosod y llun ar hen stand bwrdd du efo blanced drosto fo. Pan ddaeth Selwyn heibio ar ôl y bwyd, dyma fo'n fy ngweld i a holi be o'n i'n wneud yno.

'Dewch yma,' medda fi, a'i arwain at y bwrdd du. Wna i byth anghofio'i wyneb o pan ddadorchuddiwyd y llun. Mi oedd o wedi gwirioni'n lân, ond ei ymateb cyntaf oedd dechrau crio! Na, nid torri'i galon am ei fod o'n llun sâl oedd o, ond crio dagrau o lawenydd am ei fod wrth ei fodd.

'Ro'n i'n amau na fasat ti'n fy ngadael i lawr,' medda fo.

Dwi'n cofio Elfed Roberts, Prif Weithredwr yr Eisteddfod, yn swnian a swnian am gopïau o luniau swyddogol Robyn Llŷn a Selwyn Iolen gen i, ac mi drefnais i fynd â nhw i lawr i'r Eisteddfod yn Llanelli efo fi ar y dydd Iau cyn i'r ŵyl ddechrau, fel rydan ni'n arfer ei wneud. Maen nhw'n lluniau mawr, ac mi ges i eu rhoi nhw ar wely yng nghampyrfan Tegwyn a Margaret ar gyfer y siwrnai. Eu cario nhw wedyn i swyddfa'r Eisteddfod, a dyma Elfed yn diolch amdanyn nhw. Ond be oedd yno ar y pryd ond fan o'r Llyfrgell Genedlaethol yn danfon rhywbeth neu'i gilydd. Mi fachodd Elfed y gyrrwr, a gofyn iddo fynd â'r lluniau i'r Llyfrgell efo fo, felly mi gafodd y ddau Archdderwydd daith yn syth yn ôl i fyny'r lôn i gyfeiriad y gogledd.

Elin Llwyd Morgan

Pan ddechreuais i weithio efo'r *Herald* yn 1989, mi groesawodd Arwyn fi efo'r cyfarchiad, 'Dan ni'n perthyn, 'sti!'

Er mai ceifnaint, neu drydydd cefndryd, ydan ni, mae cysylltiadau teuluol - waeth pa mor bell - yn bwysig iawn iddo. Ond perthyn neu beidio, mae Arwyn wastad wedi bod yn un da am gymryd pobol o dan ei adain, a bu'n fentor hael i ambell gyw-ffotograffydd.

Criw clòs oedd criw'r *Herald*, yn cymdeithasu yn ogystal â chydweithio efo'n gilydd. Ar ôl rhoi'r papur i'w wely bob nos Iau, arferem ei 'nelu hi - yn y traddodiad newyddiadurol gorau - am y Black Boy, ond er mai Caernarfon oedd ein milltir sgwâr, cafwyd ambell drip cofiadwy i Ddulyn hefyd.

Arwyn fyddai'n trefnu'r tripiau hynny, ac mae gen i atgofion (a lluniau) llawen iawn o'r penwythnosau hynny. Dwi'n cofio un tro, ar ôl i fownsar wrthod ein gadael i mewn i glwb nos, Arwyn yn ebychu: 'But we're Welsh!!' a'r bownsar yn ildio efo'r amod: 'Alright, you can come in - but you don't fecking sing!'

Dro arall, â minnau wedi mynd am napan yn ein gwesty yn Great Denmark Street, ffoniodd Arwyn fy stafell yn mynnu 'mod i'n mynd i lawr ar unwaith gan fod un o'r Rolling Stones wrth y bar. 'Pa un?' gofynnais. 'Yr un sy'n edrych fatha brân,' atebodd yntau, fel petai'r grŵp i gyd ddim yn edrych fel slachdar o frain oedrannus. (Ronnie Wood oedd o, erbyn gweld.)

Yn ogystal â chwarae'n galed, roedd Arwyn yn weithiwr diwyd hefyd; yn ffotograffydd wrth reddf efo'r ddawn i wneud i'w wrthrychau deimlo'n gyfforddus. Roedd hi wastad yn haws mynd ar drywydd stori pan oedd Arwyn a'i gamera efo fi; nid yn unig am ei fod o'n nabod pawb, ond am ei fod yn gwmni rhwydd oedd bob amser yn gefn.

Pan oeddwn am ddihangfa o brysurdeb y stafell newyddion, roedd stafell dywyll Arwyn – efo'r ffotograffau'n datblygu mewn hambyrddau o gemegion ac wedi'u pegio i sychu ar y waliau – yn hafan o wawl coch heddychlon.

Er yr holl fynd a dod ymhlith staff dros y blynyddoedd, mae'n braf meddwl fod Arwyn yn dal yno, yn ffigwr selog sydd bron mor chwedlonol â'r *Herald* ei hun.

16

Cyn cloi ...

Ar wahân i'r adegau yr ydach chi wedi clywed amdanyn nhw eisoes, fel y ddamwain car neu'r anffawd efo fy nghoes, pur anaml dwi wedi gorfod mynd at y doctor erioed. Waeth i mi gyfaddef ddim, tan yn ddiweddar ro'n i'n gwrthod mynd at y doctor os fedrwn i beidio. Ond gan fy mod i wedi crybwyll y peth eisoes, dwi isio sôn mwy am glefyd y siwgwr, rhag ofn y bydd fy ngeiriau o help i eraill sy'n dioddef ohono, achos mae o wedi mynd yn beth mor gyffredin. Fel mae pawb sy'n fy nabod yn gwybod, dydw i erioed wedi bod yn hogyn tenau iawn. Ond ar ôl colli Mam yn 2009 roedd fy mhwysau wedi cynyddu tipyn go lew – *comfort eating* ma' siŵr. Ond erbyn gaeaf 2014 ro'n i'n gweld fy hun yn colli pwysau, heb drio gwneud hynny. Wnes i ddim byd ynglŷn â'r peth, heblaw hel meddyliau, fel mae rhywun. Ond erbyn mis Chwefror 2015 mi gollais i lwyth o bwysau'n sydyn – bron i stôn mewn wythnos. Wrth gwrs, roedd pob math o bethau'n mynd drwy fy meddwl erbyn hyn, ac ro'n i'n amau'r gwaethaf.

Dwi'n trefnu trip i Iwerddon neu'r Alban i gêm rygbi bob blwyddyn ers blynyddoedd. Mae 'na griw ohonan ni'n mynd: Ian Edwards, Trystan Pritchard, Paul Painter, Derek Jones, Nigel Roberts, Deiniol Tegid a'i frawd, Iolo, a mab Deiniol, Gwion, ac roeddan ni newydd fod yng Nghaeredin ar gyfer y gêm. Mi sylwais yn fanno 'mod i'n fwy sychedig nag arfer, ac mae hynny'n arwydd arall o glefyd y siwgwr, wrth gwrs. Ddiwrnod neu ddau ar ôl dod yn ôl adra, ro'n i yn fy ngwaith, a dyma Dawn Jones, oedd yn gweithio yn y dderbynfa yng Nghaernarfon ar y pryd, yn deud: 'Argian Arwyn, mae 'na olwg ddrwg arnat ti. Be sy matar?'

Perswadiodd Dawn fi i fynd at y doctor yn syth. Ro'n i'n gwybod yn iawn fod 'na rwbath yn bod ond, yn rêl dyn, do'n i ddim isio cyfaddef hynny i mi fy hun. Mae'n siŵr bod 'na elfen o ofn yn y peth, ond mi ddychrynodd geiriau Dawn fi yn fwy byth ac mi wnes i fel roedd hi'n deud. Ac mae'n rhaid i mi gael canmol Meddygfa Waunfawr yn fama. Does 'na ddim llawer ers i mi symud yno atyn nhw o fy hen feddygfa, ac maen nhw wedi bod yn wych efo fi – y doctoriaid, y nyrsys a'r holl staff. Trylwyr a chlên iawn. Pan mae rhywun yn mynd i weld ei feddyg mae o'n golygu lot os ydach chi'n teimlo'n gartrefol yn mynd yno, ac maen nhw'n sicr wedi gwneud hynny i mi.

Beth bynnag, mi wnaethpwyd profion gwaed, a chadarnhawyd fod clefyd y siwgwr arna i, ac y byddai'n rhaid sefydlogi lefelau'r inswlin yn syth. Roedd fy lefel yn yr ugeiniau uchel, sy'n uchel ofnadwy, a dyna pam ro'n i'n colli pwysau mor gyflym. Dydi o ddim yn syndod a deud y gwir 'mod i'n dioddef o'r clefyd achos roedd Mam ac Yncl Gwyndaf, ei brawd, yn dioddef ohono – ac roedd o ar fy nain a fy hen nain hefyd. Pan fo rwbath fel hyn yn digwydd iddyn nhw, mae rhai pobol yn holi 'pam fi?', ond y ffordd dwi'n sbio arni ydi, 'pam ddim?' – dwi ddim gwell na gwaeth na neb arall. Mae o'n rhywbeth y mae'n rhaid i mi fyw efo fo, a dyna dwi'n wneud rŵan. Mi gymrodd o fisoedd i sefydlogi'r cyflwr a dwi wedi colli pum stôn i gyd, ond mi ddaeth o dan reolaeth gen i, ac erbyn hyn mae pethau'n edrych yn well o lawer. Newidwyd fy mywyd i ryw raddau, wrth gwrs. Mae rhywun yn gorfod newid ei batrwm bwyta a bod yn fwy gofalus, ond dwi'n cario mlaen efo fy mywyd. Mi ellir ei reoli fo efo'r diet iawn, ac mae fy lefelau siwgwr i'n reit dda erbyn hyn. Y neges a'r cyngor dwi'n ei roi i bobol ydi, os ydach chi'n meddwl bod 'na rwbath yn bod, rwbath allan o'r cyffredin neu'n anarferol, ewch i weld eich doctor, da chi. Wedi cymryd y cam cyntaf, a mynd yno, mae rhywun yn teimlo'n lot hapusach, a does gen i ddim ofn mynd yno o gwbwl rŵan.

A da o beth ydi hynny fel mae'n digwydd, achos dwi wedi cael mwy o helbul yn ddiweddar. Ychydig fisoedd yn ôl mi es i weld y nyrs ym meddygfa Waunfawr er mwyn cael prawf gwaed i fonitro clefyd y siwgwr. Roeddan nhw'n falch iawn efo'r canlyniadau am fod lefel y siwgwr yn fy ngwaed wedi gostwng ac wedi lefelu'n dda iawn, ond gyrrwyd sampl dŵr i ffwrdd i'r labordy hefyd, ac mi ddangosodd canlyniadau hwnnw fod 'na ryw broblem efo'r prostad.

'O, dyma ni eto,' medda fi wrtha i fy hun, 'rwbath newydd i boeni amdano fo!'

Roedd yn rhaid cael rhagor o brofion – tynnu sawl sampl o waed eto, a'u hanfon i'r ysbyty. Ac wrth gwrs, roedd yn rhaid aros am y canlyniadau. Mi gymerodd bythefnos y tro yma, ac mae'n rhaid i mi gyfaddef, roedd o'n un o'r cyfnodau gwaethaf yn fy mywyd i. Canser oedd y bwgan, ac eistedd adra yn hel meddyliau fues i y rhan fwyaf o'r amser, pan nad o'n i allan yn gweithio. Meddwl y gwaethaf yn amlach na pheidio, a meddwl be oedd o fy mlaen i. Mae hynny'n naturiol – rhai felly ydan ni i gyd, yntê?

O'r diwedd daeth yn amser mynd i'r feddygfa i gael y canlyniadau, ac ro'n i'n swp sâl (diawl, ro'n i'n mynd i'r lle iawn felly, doeddwn!). Pan ddywedodd y doctor wrtha i bythefnos ynghynt fod y profion wedi dangos rwbath anarferol, mi bwysleisiodd o ei bod hi'n rhy gynnar i sôn am ganser. Ond y munud y dywedodd o hynny, fedrwn i ddim peidio â phoeni wedyn. Y munud y mae'r gair 'canser' yn cael ei grybwyll, mae rhywun yn dechrau hel meddyliau. Ond diolch i'r nefoedd, newyddion da ges i'r bore hwnnw. Roedd y canlyniadau'n glir. Hynny ydi, doedd 'na ddim golwg o ganser, ond roedd 'na ryw broblem fach efo'r prostad, ac roedd posib rheoli'r broblem honno efo tabledi.

Unwaith eto, dwi am ailadrodd fy nghyngor, yn enwedig i ddynion: ewch at y doctor os ydach chi'n poeni am rwbath. Ac ewch at y doctor am brawf prostad p'un ai ydach chi'n poeni neu beidio. Maen nhw'n annog pobol i fynd, felly ewch, yn enwedig os ydach chi dros eich hanner cant. Do'n i ddim yn teimlo bod 'na ddim byd yn bod efo fy mhrostad i, ond mi brofwyd i'r gwrthwyneb. Dydi'r prawf ddim ond yn cymryd deng munud i chwarter awr – aros am y canlyniad ydi'r darn gwaethaf. Dwi wedi rhoi'r bregeth yma i sawl un, a dwi'n falch o ddeud bod nifer ohonyn nhw wedi cymryd fy nghyngor ac wedi bod at eu meddyg. Felly ewch chitha, da chi!

Dydi'r hyn dwi wedi bod drwyddo fo'n ddim byd o'i gymharu â'r hyn y mae rhai'n mynd drwyddo fo, wrth gwrs, ac mi danlinellwyd hynny i mi yn ddiweddar iawn. Tynnu llun hogyn 12 oed yn y Rhyl o'n i. Roedd o'n bêl-droediwr addawol dros ben yn ôl y sôn, efo lot o'r clybiau mawr ar ei ôl o. Ond roedd o wedi torri ei goes yn ystod gêm, ac wrth fynd am driniaeth mi ddarganfuwyd bod lewcemia arno fo. Gobeithio wir y daw o drwyddi, ond mae'n debyg mai dyna fydd diwedd ei obeithion o fod yn bêl-droediwr. Mae'r stori wedi rhoi fy mhroblemau i yn eu cyd-destun, er nad oeddan nhw'n teimlo fel problemau bach ar y pryd, cofiwch. Mater bach o gymryd tabledi neu newid fy niet ydi o i mi, ond roedd gweddill ei oes o flaen y bachgen bach hwnnw.

Mi fydda i'n edrych yn ôl ar 1975, ac yn meddwl am yr holl newidiadau sydd wedi digwydd, nid yn unig yn y diwydiant papurau newydd, ond i mi. Mae'r gwallt du wedi hen fynd, a dwi wedi britho bellach. Dwi wedi aeddfedu lot – dwi ddim mor wyllt ag y byddwn i, ond ar adegau dwi'n dal i allu bod mor wirion ag yr o'n i flynyddoedd yn ôl. Dwi hefyd yn fwy agored i weld problemau pobol eraill, a phroblemau'r byd, erbyn hyn, pan nad oeddwn i'n cymryd fawr o sylw ohonyn nhw ers talwm. Yn y bôn, dwi'n meddwl 'mod i wedi datblygu'n berson mwy addfwyn. Ella dylwn i newid fy enw i Addfwyn Herald ...

Ac wrth roi'r llyfr 'ma yn ei wely, dwi wedi bod yn hel meddyliau eto – rhai positif y tro yma. Dwi'n teimlo 'mod i isio codi arian at ymchwil i glefyd y siwgwr a'r prostad, fel ffordd o ddiolch am y gofal dwi wedi'i gael. Ar ôl cnoi cil dros y peth, dwi wedi penderfynu trefnu cyngerdd mawreddog. Does gen i ddim manylion eto – mae'r syniad yn dal i droi yn fy meddwl i ar hyn o bryd. Ond gan fy mod i wedi treulio 40 mlynedd yn ffotograffydd y wasg (ac yn dal i fynd!), mi geith o fod yn gyngerdd dathlu hefyd. Mi wnaeth rhywun o'r BBC ychydig o waith ymchwil, ac yn ôl yr hyn dwi'n ei ddeall, does 'na 'run ffotograffydd papur newydd arall – yng Nghymru o leiaf – wedi rhoi cymaint o wasanaeth â iôrs trwli. Ond dwi isio iddo fo fod yn gyngerdd i'w gofio, dwi isio i bawb fwynhau, a dwi isio iddo fo godi swm anrhydeddus i'r achosion da dwi wedi'u henwi, wrth gwrs. Yn y pen draw mae hynny'n bwysicach o lawer na faint o flynyddoedd dwi wedi bod wrthi.

Ac ar y nodyn hwnnw mae'n rhaid i chi fy esgusodi i – mae'r ffôn yn canu.

'Helô ... Be? Tân ddudist ti ...? Yn dre ...? Iawn, diolch. Dwi ar fy ffordd.'